Fleurs des Tropiques

... à Cyril et Joan

Publié par :

EDITIONS EXBRAYAT
Morne l'Eventée
Route de Balata
97234 Fort-de-France
Tél. : 05.96.64.60.58
Fax : 05.96.64.70.42

ISBN : 2-905873-00-0
Septième édition 1997

Fleurs des Tropiques

Photographie :
ANDRE EXBRAYAT

Texte :
GILDAS LE CORRE

Le voyageur est toujours étonné de découvrir la luxuriance, la variété et la richesse de coloris des fleurs tropicales. Après avoir essayé avec plus ou moins de succès, d'acclimater aux régions tempérées les nouvelles espèces rencontrées, les botanistes les ont répandues dans les autres régions tropicales, y créant de somptueux jardins botaniques au noms prestigieux ; Jardin botanique de Rio, Jardin de Cienfuegos à Cuba, Jardin des Pamplemousses à l'Ile Maurice, Jardin de Kirstenbosh en Afrique du Sud, Fairchild Tropical Gardens à Miami...

Depuis, ces plantes se sont répandues dans tous les jardins, cultivées amoureusement par leurs propriétaires et s'identifiant à des îles aux noms de rêve : la Martinique : l'île aux fleurs ; Grenade : l'île aux épices ; Tahiti et ses vahinés.

Mais qui se souvient encore que le Flamboyant vient de Madagascar, l'Hibiscus de Chine, la Bougainvillée du Brésil et le Frangipanier des Antilles ?

Reste l'amour des fleurs que nous voudrions vous faire partager en voyageant parmi quelques trois cents espèces rencontrées au détour des chemins antillais !

Nous avons voulu rendre la lecture de ce livre agréable pour le profane par une abondante illustration, facile pour l'amateur par la clarté des textes tout en restant aussi rigoureux que possible dans la nomenclature. Les noms français ont souvent été empruntés au vocabulaire créole si savoureux et imagé. Les dates de floraison, indicatives, sont données pour les Antilles où deux saisons prédominent : le Carème (saison sèche) de janvier à juillet et l'hivernage (saison humide) d'aôut à décembre ; dans l'hémisphère sud les saisons sont donc inversées et pour les régions équatoriales, les floraisons dépendant des dates des saisons sèches et humides.

Nous remercions toutes les personnes qui nous ont aimablement reçus et aidés dans la réalisation de cet ouvrage.

EDITIONS EXBRAYAT

Fleurs des Tropiques

Un jardin ne serait pas complet s'il lui manquait toutes ces petites plantes herbacées qui jouent les avant-scènes, cachent la base dénudée des arbres, ou toutes celles, plus grandes, qui, se mêlant aux arbustes, composent de vastes massifs, variés, coloriés, si prisés par les Anglo-Saxons.

Les Plantes à Massifs

Nom scientifique :
GOMPHRENA GLOBOSA

Nom vernaculaire :
IMMORTELLE, MARGUERITE

Famille :
AMARANTHACEES

Origine :
Inde ou Amérique tropicale

Description : Cette plante herbacée annuelle, érigée, pubescente porte de lourdes inflorescences terminales dont les fleurs minuscules sont cachées par des bractées richement colorées de blanc, de rose ou de pourpre

Floraison :
Toute l'année.

Utilisation : Poussant très rapidement elle supporte n'importe quel sol mais demande le plein soleil.

Multiplication :
Semis.

▼

C. INFUNDIBULIFORME

G. GLOBOSA

▲

Nom scientifique :
CROSSANDRA
INFUNDIBULIFORME

Famille :
ACANTHACEES

Origine :
Inde.

Description : Cette plante érigée, pérenne, porte des inflorescences terminales composées de bractées imbriquées, d'où sortent des fleurs rose saumon.

Utilisation : Demandant un sol riche, bien drainé, une bonne humidité et une exposition ombragée, elle est utilisée dans les massifs d'arbustes et de plantes basses.

Multiplication :
Bouturage ou semis

Nom scientifique :
BELOPERONE GUTTATA

Nom vernaculaire :
PLANTE CREVETTE
QUEUE D'ECREVISSE

Famille :
ACANTHACEES

Origine :
Mexique.

Description : Cette petite plante arbustive a de curieuses inflorescences courbées aux longues bractées (de 7 à 10 cm) roses à rouge brique cachant de petites fleurs roses.

Floraison :
Janvier à Décembre

Utilisation : Indifférente à la nature du sol, elle demande le soleil ou la semi-ombre. On l'utilise en massif ou pour former des haies basses qu'il faut tailler régulièrement.

Multiplication :
Bouturage.

B. GUTTATA

Nom scientifique :
IRESINE HERBSTII

Nom vernaculaire :
HERBE COTON

Famille :
AMARANTHACEES

Origine :
Amérique tropicale.

Description : Cette plante herbacée pérenne est surtout décorative par ses tiges et ses feuilles rouge pourpre aux nervures saillantes plus claires. Les inflorescences terminales en panicules plumeux blancs sont assez jolies.

Floraison : Toute l'année

Utilisation : Elle demande un sol riche et bien arrosé et pousse rapidement au soleil ou sous une ombre légère.

Multiplication :
Bouturage, semis.

Nom scientifique :
HYMENOCALIS
CARIBAEA
PANCRATIUM CARIBAEUM

Nom vernaculaire :
LIS BLANC, LIS A L'HUILE

Famille :
AMARYLLIDACEES

Origine :
Antilles

Description : Cette plante bulbeuse aux grandes feuilles rubannées porte une hampe florale avec des fleurs blanches étoilées très parfumées.

Floraison :
Avril à octobre.

Utilisation : Peu exigeante sur la nature du sol, elle pousse aussi bien au soleil qu'à l'ombre. On l'utilise en groupes, en massif ou en bordure.

Multiplication :
Séparation des bulbilles, semis.

H. CARIBAEA

I. HERBSTII

Nom scientifique :
AGAVE AMERICANA
Nom vernaculaire :
AGAVE, ABECEDAIRE

Famille :
AMARILLYDACEES

Origine :
Amérique tropicale, naturalisée en régions méditerranéennes.

Description : Cette grande plante a de longues feuilles coriaces, épineuses, en rosettes bleutées. Elle fleurit une seule fois dans sa vie en produisant une imposante hampe florale pouvant atteindre 10 m de hauteur portant de petites fleurs jaunes, puis elle meurt. Il existe une variété à feuillage panaché.

Utilisation : Résistante à la sécheresse, à l'air marin et aux sols les plus ingrats, c'est une plante à isoler.

Multiplication :
Rejets apparaissant autour de la plante mère.

Nom scientifique :
EUCHARIS GRANDIFLORA
Nom vernaculaire :
LIS DE LA VIERGE
LIS DE L'ANNONCIATION

Famille :
AMARYLLIDACEES

Origine :
Colombie

Description : Cette plante bulbeuse aux grandes feuilles rubannées porte une hampe florale de 50 cm de hauteur ayant jusqu'à 6 fleurs blanches, parfumées, semblables à un narcisse.

Floraison :
Février à juin.

Utilisation : Vigoureuse et florifère, elle demande un sol riche, beaucoup de chaleur et d'humidité. Elle préfère une exposition ombragée. On peut la cultiver en pot ou en serre.

Multiplication :
Séparation des bulbilles.

E. GRANDIFLORA

A. MARGINATA

A. AMERICANA

Nom scientifique :
CRINUM AMABILE

Nom vernaculaire :
GRAND LIS

Famille :
AMARYLLIDACEES

Origine :
Sumatra

Description : Cette plante bulbeuse porte de nombreuses grandes feuilles rubanées au centre desquelles naît une hampe florale portant une vingtaine de fleurs (15 à 20 cm) roses et blanches, très parfumées.

Floraison :
Avril à octobre.

Utilisation : Elle préfère un sol riche et bien drainé mais se contente de sols plus médiocres. On en fait des bordures au soleil ou sous une ombre légère.

Multiplication :
Séparation des bulbilles

C. AMABILE

Nom scientifique :
HIPPEASTRUM PUNICEUM

Nom vernaculaire :
AMARYLLIS

Famille :
AMARYLLIDACEES

Origine :
Amérique tropicale

Description : Cette plante bulbeuse aux longues feuilles rubannées porte de grandes fleurs rouges, roses ou oranges, insérées sur une hampe de 30 à 50 cm de hauteur.

Floraison :
Janvier à décembre.

Utilisation : Demandant un sol riche et une exposition ensoleillée, on la cultive indifféremment en pot ou en pleine terre jusque dans les régions méditerranéennes.

Multiplication :
Semis ou séparation des bulbilles.

H. PUNICEUM

Nom scientifique :
CATHARANTHUS ROSEUS

Nom vernaculaire :
PERVENCHE DE MADAGASCAR, CACA POULE

Famille :
APOCYNACEES

Origine :
Amérique tropicale

Description : Cette petite plante cultivée sous les tropiques a un joli feuillage vernissé et de grandes fleurs (4 à 5 cm) régulières roses ou blanches.

Floraison :
Toute l'année.

Utilisation : Indifférente au sol comme au climat, on l'utilise en bordures et en massifs. En zone septentrionale elle est cultivée comme plante annuelle d'extérieur ou d'appartement

Multiplication :
Semis, bouturage.

C. ROSEUS

Nom scientifique :

ANTHURIUM
ANDREANUM

Nom vernaculaire :
ANTHURIUM, FLAMANT ROSE

Famille :
ARACÉES

Origine :
Colombie

Description : Cette plante aux grandes feuilles cordiformes, luisantes porte une fleur remarquable composée d'une bractée épaisse très colorée - le spathe - d'où émerge un épi de minuscules fleurs cireuses - le spadice. Il existe de nombreux hybrides au spathe rouge, rose, blanc, bicolore, etc... Très voisin, A. SCHERZERIANUM a un spadice hélicoïdal.

Floraison :
Toute l'année.

Utilisation : Elle demande un sol riche, bien arrosé et un ombrage perpétuel. Elle est cultivée comme fleur à couper ou comme plante en pot dans de nombreux pays.

Multiplication :
Semis, division de touffe.

A. ORNATUM

A. HYBRIDE

A. ANDREANUM

A. NYMPHAEIFOLIUM

A. GRANDIFOLIUM

A. LINDENII

C. BICOLOR

C. BICOLOR

Nom scientifique :
CALADIUM BICOLOR ▶

Nom vernaculaire :
PALETTE DU PEINTRE, CHEVALIER
ROUGE

Famille :
ARACÉES

Origine :
Amérique tropicale.

Description : Cette plante tubéreuse
est cultivée pour son feuillage cordiforme richement coloré. Il en existe
de nombreux hybrides dont la couleur
varie du blanc au rouge, ponctué de
taches plus foncées.

Utilisation : Elle demande une exposition ombragée, un sol riche et
humide. Elle forme de belles bordures
en sous-bois.

Multiplication :
Semis.

A. FRUTICOSA

A. FRUTICOSA

Nom scientifique :
MONSTERA DELICIOSA
PHILODENDRON PERTUSUM

Nom vernaculaire :
SIGUINE, PHILODENDRON,
ANANAS DU PAUVRE

Famille :
ARACEES

Origine :
Amérique tropicale

Description : Cette vigoureuse liane
arbustive porte des feuilles juvéniles
perforées différentes du feuillage
adulte profondement découpé, ce qui
lui a valu ses deux noms. Les fleurs
uniques ont un spathe charnu crème
en cornet et un spadice jaune. Le fruit
met 14 mois à murir et dégage à
maturité une délicate odeur d'ananas.
Des nœuds pendent de nombreuses
racines aériennes. Proche, le Pothos
(SCINDAPSUS AUREUS) a un feuillage panaché de jaune ; sa floraison
est rare.

Utilisation : Originaire des forêts
humides, il aime un emplacement
semi-ombragé, et doit être bien arrosé.
Il grimpe rapidement à l'assaut des
grands arbres. On peut aisément le
cultiver en appartement. Le fruit
comestible, a un gôut qui tient à la fois
de l'ananas, de la banane, de l'abricot
et de la mangue.

Multiplication :
Bouturage ou marcottage.

Nom scientifique :
◀ ASCLEPIAS
CURASSAVICA

Nom vernaculaire :
HERBE A OUATE, ZEBE-PAPILLON
QUADRILLE, CHAPEAU CHINOIS

Famille :
ASCLEPIADACEES

Origine :
Amérique tropicale

Description : Cette plante herbacée,
pérenne porte des feuilles lancéolées
et une inflorescence terminale composée de nombreuses fleurs orange à
cœur jaune.
ASCLEPIAS FRUTICOSA, plus grande est décorative par ses fruits, gros
follicules poilus papyracés.

Floraison :
Toute l'année.

Utilisation : Peu exigeante sur la
nature du sol, elle demande le plein
soleil et résiste à la sécheresse. Toute
la plante exude un latex toxique. Les
capsules contiennent un duvet utilisé
en rembourrage. En médecine po-
pulaire elle est réputée comme vomitif.

Multiplication :
Semis, séparation des rejets.

M. DELICIOSA

M. DELICIOSA

B. NITIDA

B. NITIDA ROSEA

B. NITIDA

B. COCCINEA

B. MANICATA

Nom scientifique :
BEGONIA NITIDA

Nom vernaculaire :
BEGONIA, OSEILLE BOIS

Famille :
BEGONIACEES

Origine :
Amérique tropicale

Description : Cette plante herbacée succulente porte de grandes feuilles lobées et brillantes et de nombreuses petites fleurs blanches ou rose pâle. Parmi les très nombreuses espèces de begonias décoratifs citons B. COCCINEA à fleurs rouge et B. REX dont les feuilles se parent de superbes coloris rouges, gris ou marrons.

Floraison :
Toute l'année.

Utilisation : Plantes d'ombre et de zone humide, les bégonias conviennent pour former des bordures et des massifs très fournis. On les cultive en intérieur ou en les rentrant l'hiver en zone septentrionale.

Multiplication :
Semis, bouturage, division des tubercules.

B. SEMPERFLORENS

B. HERACLEIFOLIA

B. COCCINEA

B. CORALLINAE

A. COMOSUS

Nom scientifique :
ANANAS COMOSUS (VARIEGATUS)

Nom vernaculaire :
ANANAS PANACHE

Famille :
BROMELIACEES

Origine :
Amérique tropicale.

Description : Les longues feuilles dentées de cet ananas sont ourlées de rose et d'ivoire, l'inflorescence est un gros ananas vivement coloré de rose.

Utilisation : Il demande chaleur et humidité et forme de belles bordures. On le cultive comme plante d'appartement. Ses inflorescence sont utilisées dans la composition de bouquets.

Multiplication :
Séparation des rejets, bouturage d'extrémité.

G. LINGULATA

Nom scientifique :
GUZMANIA LINGULATA

Nom vernaculaire :
ANANAS BOIS, ANANAS MARRON

Famille :
BROMELIACEES

Origine :
Amérique tropicale

Description : Cette plante herbacée épiphyte ou terrestre porte des feuilles lancéolées coriaces, brillantes et de petites fleurs axillées par des bractées florales rouge vif. Parmi les nombreuses autres espèces, G. SANGUINEA a des feuilles pourpres.

Floraison :
Toute l'année.

Utilisation : Elle demande un sol riche en matière organique, très poreux, bien arrosé et une exposition lumineuse mais à l'abri des rayons directs du soleil. On peut l'utiliser pour décorer des troncs d'arbres ou en suspensions.

Multiplication :
Séparation des rejets.

A. CHANTINII

Nom scientifique :
AECHMEA CHANTINII

Famille :
BROMELIACEES

Origine :
Brésil

Description : Cette plante épiphyte a des feuilles en rosette épaisses, épineuses, zébrées d'où émerge une hampe florale à bractées rouges et fleurs jaunes. Il existe de nombreuses autres espèces décoratives dont A. FASCIATA à feuilles blanchâtres et grande inflorescence rose.

Utilisation : Venant de la forêt tropicale humide, elle demande ombre, chaleur, humidité et pousse aussi bien en pleine terre que sur un support naturel (tronc d'arbre). Elle est cultivable en appartement. La plante meurt après avoir fleuri, mais survit par ses rejets latéraux.

Multiplication :
Séparation des rejets.

Ph. G. LE CORRE

P. CORALLINA

Nom scientifique :
PITCAIRNIA CORALLINA
Famille :
BROMELIACEES

Origine :
Pérou, Colombie

Description : Cette plante aux grandes feuilles rubannées, porte de curieuses inflorescences en épi orangées qui retombent sur le sol.

Floraison :
Août à décembre.

Utilisation : Demandant chaleur et humidité, elle gagne à être isolée ou cultivée en hauteur. Elle pousse au soleil ou sous une ombre légère.

Multiplication :
Division de touffe, semis.

O. FICUS INDICA

Nom scientifique :
OPUNTIA FICUS INDICA
Nom vernaculaire :
FIGUIER DE BARBARIE

Famille :
CACTACEES

Origine :
Mexique

Description : Ce cactus buissonnant a des articles aplatis avec ou sans épines et des fleurs jaunes suivies de fruits rouges, juteux, comestibles.

Floraison : Toute l'année

Utilisation : Plante résistante à la sécheresse et à la chaleur, elle se contente de sols pauvres mais bien drainés et demande une exposition ensoleillée.

Multiplication :
Bouturage, semis.

C. PERUVIANUS

Nom scientifique :
CEPHALOCERUS PERUVIANUS

Nom vernaculaire :
CACTUS-CIERGE

Famille :
CACTACEES

Origine :
Pérou

Description : Ce cactus colummaire, ramifié porte des articles cotelés, peu épineux et de grandes fleurs crêmes, nombreuses, parfumées.

Floraison : Février à mai.

Utilisation : Plante résistante à la sécheresse, elle se contente des sols les plus ingrats à condition qu'ils soient bien drainés. Elle demande le plein soleil. Les fruits aqueux, sont réputés comestibles.

Multiplication :
Semis, bouturage.

C. PERUVIANUS

Nom scientifique :
YUCCA GLORIOSA

Nom vernaculaire :
SALSEPAREILLE

Famille :
LILIACÉES

Origine :
Mexique, Etats-Unis.

Description : Cette plante aux longues feuilles linéaires glauques, coriaces acérées, porte une inflorescence érigée aux grandes fleurs en coupelles blanches. Parmi les autres espèces, on cultive également Y. ELEPHANTIPES au tronc ramifié, Y. ALOIFOLIA et Y. FILAMENTOSA.

Floraison :
Toute l'année.

Utilisation : Originaire de régions désertiques, elle résiste à la sécheresse, aux sols les plus ingrats et même au feu. Elle demande le plein soleil. Sa forme rigide s'accorde bien aux jardins contemporains.

Multiplication :
Séparation des rejets.

Y. ELEPHANTIPES

Y. GLORIOSA

Y. FLACCIDA

C. INDICA

C. LUTEA

C. GENERALIS

Nom scientifique :
CANNA INDICA

Nom vernaculaire :
TOLOMAN, BALISIER

Famille :
CANNACEES

Origine :
Amérique tropicale.

Description : Les nombreuses espèces botaniques telle C. INDICA à fleurs rouges ou C. LUTEA à fleurs jaunes ont donné naissance par hybridation aux nombreux CANNAS horticoles connus sous le nom de CANNA GENERALIS. Ceux-ci ont un feuillage ample et de lourdes inflorescences en épis jaunes, oranges rouges ou bicolores.

Floraison : Toute l'année

Utilisation : Ils demandent un sol riche et frais. On les utilise en corbeilles et en massifs jusqu'en zone septentrionale où les tubercules sont rentrés l'hiver. Le tubercule de certaines espèces botaniques est comestible.

Multiplication :
Semis ou bouturage.

C. SPINOSA

R. DISCOLOR

Nom scientifique :
CLEOME SPINOSA

Nom vernaculaire :
PLANTE ARAIGNEE, GRAND MOU-
ZAMBE

Famille :
CAPPARIDACEES

Origine :
Amérique tropicale.

Description : Cette plante dressée,
épineuse, porte des inflorescences
terminales en épis de fleurs blanches
à roses aux longues étamines saillantes.

Floraison : Toute l'année

Utilisation : Supportant la sécheresse
et un sol médiocre on la rencontre
souvent dans les décombres et terrains vagues. On peut l'utiliser en fond
de massif ou pour décorer un talus.

Multiplication :
Semis

Nom scientifique :
RHOEO DISCOLOR

Nom vernaculaire :
SONDE, CURAGE

Famille :
COMMELINACEES

Origine :
Mexique

Description : Cette plante à tige courte, épaisse, porte des feuilles imbriquées lancéolées vert foncé et pourpre au revers. Les petites fleurs blanches à trois pétales sont groupées en
inflorescences apparaissant le long
de la tige.

Utilisation : Poussant au soleil ou a
mi-ombre, elle résiste à la sécheresse
et aux sols les plus ingrats mais est
plus vigoureuse en sol fertile. On en
fait des bordures et des massifs.

Multiplication :
Semis ou séparation des rejets.

Nom scientifique :
GERBERA JAMESONII

Nom vernaculaire :
MARGUERITE DU TRANSVAAL

Famille :
COMPOSEES

Origine :
Afrique du Sud

Description : Cette plante herbacée vivace porte de longues feuilles vert foncé très découpées et des inflorescences en capitule simples ou doubles. Il en existe de nombreuses variétés roses, rouges, oranges, jaunes, blanches ou violettes.

Floraison :
Toute l'année.

Utilisation : Elle demande un sol riche, bien drainé, une exposition chaude et ensoleillée. On l'utilise en massifs jusque dans les zones méditerranéennes. Les fleurs sont utilisées pour la composition de bouquets.

Multiplication :
Semis, division de touffe.

G. JAMESONII

K. BLOSSFELDIANA

Nom scientifique :
KALANCHOE BLOSSFELDIANA

Nom vernaculaire :
HERBE MAL-TETE

Famille :
CRASSULACEES

Origine :
Afrique - Madagascar

Description : Cette petite plante grasse aux feuilles charnues dentées porte des inflorescences en corymbe composées de nombreuses petites fleurs rouges, oranges ou jaunes. K. PINNATA et K. DAIGREMONTIANA ont des fleurs rose foncé en clochettes.

Floraison :
Toute l'année.

Utilisation : Elle demande beaucoup de chaleur et de soleil et résiste à la sécheresse. On l'utilise en pot ou en massif.

Multiplication :
Semis, séparation des rejets.

Nom scientifique :
ACALYPHA HISPIDA ACALYPHA WILKESIANA

Nom vernaculaire :
CHENILLE, QUEUE DE CHAT, JUPON-CANCAN, CANCAN, FOULARD

Famille :
EUPHORBIACEES

Origine :
Inde où elle est cultivée depuis 1690.

Description : Les longs épis de fleurs femelles, duveteux, rouges ou crèmes apparaissent toute l'année sur le feuillage vert sombre d'A. HISPIDA. A. WILKESIANA est utilisée pour son feuillage décoratif gaufré rouge, bronze ou ourlé de blanc, les fleurs étant insignifiantes.

Floraison : Toute l'année

Utilisation : Elle demande un sol riche et bien arrosé. On la cultive en serre ou pour la décoration estivale des massifs extérieurs en zone septentrionale. En Océanie, les feuilles, que l'on mastique ont la réputation de soigner tous les maux.

Multiplication :
Bouturage.

Nom scientifique :

◀ **PEDILANTHUS TITHYMALOIDES**

PEDILANTHUS BRACTEATUS

Nom vernaculaire :
HERBE A CORS, BOIT LAIT, GROSSES OREILLES, PANTOUFLE

Famille : EUPHORBIACEES

Origine : Amérique tropicale.

Description : Cette plante érigée porte des feuilles charnues panachées dans la variété « VARIEGATUS » et de petites fleurs rouges tubulaires regroupées en cimes terminales.

Floraison : Toute l'année

Utilisation : Poussant rapidement, elle se contente de sols secs et médiocres et demande le plein soleil. On l'utilise comme couvre-sol ou dans les jardins de rocailles. Elle possède des propriétés médicinales.

Multiplication : Bouturage.

P. TITHIMALOIDES

P. TITHIMALOIDES

A. HISPIDA

Nom scientifique :
ACHIMENES
LONGIFLORA ▶

Nom vernaculaire :
ACHIMENE

Famille :
GESNERIACEES

Origine :
Guatemala.

Description : Cette plante herbacée, velue, porte à l'aiselle des feuilles des fleurs tubulaires rose violacé. Il en existe de nombreuses variétés.

Floraison : Toute l'année

Utilisation : Elle demande un sol riche bien arrosé et une exposition ombragée. On la cultive en massifs à l'extérieur et en potées à l'intérieur.

Multiplication :
Bouturage, division des rhizomes.

A. LONGIFOLIA

Nom scientifique :
EPISCIA CUPREATA ▶

Nom vernaculaire :
CULOTTE DU DIABLE

Famille :
GESNERIACEES

Origine :
Amérique centrale

Description : Cette plante herbacée pubescente, traçante porte d'épaisses feuilles crénelées vert cuivré et de petites fleurs solitaires rouge vif.

Floraison :
Toute l'année.

Utilisation : Elle demande un sol riche, bien arrosé et une exposition semi-ombragée.
On l'utilise en couvre-sol ou en suspensions.

Multiplication :
Séparations des rosettes néoformées.

E. CUPREATA

Nom scientifique :
COLEUS BLUMEI ▶
PLECTRANTHUS BLUMEI

Nom vernaculaire :
ROBE A L'EVEQUE, TAPIS MONSEIGNEUR, VIEUX GARÇON

Famille :
LABIACEES

Origine :
Java

Description : Cette plante herbacée pérenne porte des feuilles richement colorées de rouge, orange, rose ou blanc. Les petites fleurs blanches ou bleutées sont regroupées en épis terminaux.

Utilisation : Elle préfère les sols fertiles et bien arrosés et pousse à l'ombre ou au soleil. Certaines espèces ce Coleus ont des tubercules comestibles. On les utilise comme plantes à massif ou en intérieur en les taillant régulièrement pour éviter la montée en fleurs et leur garder une forme harmonieuse.

Multiplication :
Semis, bouturage.

C. BLUMEI

Nom scientifique :
CHRYSOTHEMIS PULCHELLA ▶

Nom vernaculaire :
HERBE A MIEL

Famille :
GESNERIACEES

Origine :
Trinidad

Description : Cette petite plante herbacée, porte des feuilles coriaces, rugueuses, pubescentes, vert cuivré ou pourpres et de petites fleurs rouges et jaunes.

Floraison : Toute l'année

Utilisation : Elle demande un sol riche et bien arrosé et une exposition lumineuse à l'abri des rayons directs du soleil. La décoction des feuilles est fébrifuge. On l'utilise en bordures et massifs.

Multiplication :
Bouturage.

C. PULCHELLA

P. NUMMULARIUS

O. STAMINEUS

Nom scientifique :

PLECTRANTHUS NUMMULARIUS

Famille :
LABIACEES

Origine :
Australie, Océanie

Description : Cette plante herbacée, pérenne, succulente porte des feuilles épaisses, dentées, vert olive et de petites fleurs blanches ponctuées de rose en cimes terminales.

Floraison :
Toute l'année.

Utilisation : Elle demande un sol riche, frais et bien arrosé et une exposition lumineuse, à l'abri des rayons directs du soleil. On l'utilise comme couvre-sol, en potées et suspensions en intérieur.

Multiplication :
Séparation des stolons, bouturage.

Nom scientifique :

ORTHOSIPHON STAMINEUS

Nom vernaculaire :
MOUSTACHE-CHAT

Famille :
LABIACEES

Origine :
Asie tropicale

Description : Cette plante herbacée vivace, érigée, porte des feuilles ovales dentées et des inflorescences terminales de fleurs blanches ou lilas pâle aux longues étamines saillantes.

Floraison : Toute l'année

Utilisation : Demandant un sol riche, bien drainé et bien arrosé, et une exposition ensoleillée ou semi-ombragée, elle est utilisée en massifs et bordures. L'infusion de feuilles est utilisée dans certains pays contre les maux de rein.

Multiplication :
Bouturage, semis.

D. MARGINATA

D. FRAGRANS

Nom scientifique :
DRACAENA FRAGRANS

Nom vernaculaire :
SANDRAGON,   DRAGONNIER,
TOTEM

Famille :
LILIACEES

Origine :
Afrique tropicale

Description : Cette plante ligneuse porte de larges feuilles rubannées vertes, panachées de jaune dans la variété MASSANGEANA et des inflorescences composées de petites fleurs marrons très parfumées qui s'ouvrent la nuit. On cultive également D. MARGINATA à feuilles plus fines bordées de rouge et D. DEREMENSIS à feuilles bleutées panachées.

Utilisation : Elle demande chaleur, humidité et une exposition ensoleillée ou semi-ombragée. On l'utilise en extérieur, jeune en couvre-sol, adulte dans les massifs arbustifs, ou comme plante d'intérieur.

Multiplication :
Bouturage.

L. LONGIFLORUM

A. VERA

Nom scientifique :
ALOE VERA

Nom vernaculaire :
ALOES

Famille :
LILIACEES

Origine :
Bassin méditerranéen, Iles Canaries.

Description : Cette plante succulente porte de grandes feuilles coriaces épineuses en rosette et des épis dressés de fleurs jaunes.

Floraison : Janvier à décembre.

Utilisation : Peu exigeante sur la nature du sol, elle demande une exposition ensoleillée et un bon draimage. Elle supporte la sécheresse. On l'utilise dans les rocailles et isolément.

Multiplication :
Séparation des rejets.

Nom scientifique :
LILIUM LONGIFLORUM

Nom vernaculaire :
LIS DE PAQUES

Famille :
LILIACEES

Origine :
Japon.

Description : Cette plante bulbeuse porte de longues feuilles rubanées d'où sort une hampe florale portant de grosses fleurs odorantes en cloches blanches.

Floraison : Toute l'année

Utilisation : Demandant un sol riche et bien arrosé et le plein soleil, elle est employée comme plante à massif ou pour la récolte des fleurs à couper.

Multiplication :
Séparation des bulbilles.

Nom scientifique :
CUPHEA HYSSOPIFOLIA

Nom vernaculaire :
THYM D'AMOUR, BRUYERE

Famille :
LYTHRACEES

Origine :
Mexique, Guatemala

Description : Cette petite plante arbustive, étalée, porte de toutes petites feuilles brillantes lancéolées et de petites fleurs blanches ou rose lilacé. C. IGNEA a des fleurs au calice tubulaire rouge vif.

Floraison :
Toute l'année.

Utilisation : Elle demande un sol riche et bien arrosé, une exposition ensoleillée ou semi-ombragée. On l'utilise en massif, en bordure ou comme plante couvre-sol. Elle peut aussi être cultivée en pot, en intérieur.

Multiplication :
Bouturage, semis.

C. HYSSOPIFOLIA

C. TIGRINA

G. HERBACEUM

Nom scientifique : ▲
GOSSYPIUM HERBACEUM

Nom vernaculaire :
COTONNIER

Famille :
MALVACEES

Origine : Asie Mineure, Arabie

Description : Cette plante herbacée, érigée, annuelle porte de grandes feuilles palmées et des fleurs jaunes aux étamines saillantes, suivies de gros fruits dont les graines sont entourées d'une bourre épaisse : le coton

Floraison :
Toute l'année.

Utilisation : Demandant une terre riche et légère elle est surtout cultivée pour en extraire le coton. On l'aime néanmoins dans les jardins pour ses fleurs car elle pousse rapidement.

Multiplication : Semis.

◀ *Nom scientifique :*
CALATHEA ORNATA

Nom vernaculaire :
PAPIER A MUSIQUE

Famille :
MARANTACEES

Origine : Amérique tropicale.

Description : Cette plante herbacée tubéreuse porte de grandes feuilles ovales vertes zébrées de blanc, de rouge ou de mauve. Les fleurs, petites sont crème. Très proche, MARANTA LEUCONEURA a également des feuilles aux nervures diversement colorées

Utilisation : Elle demande un sol riche et bien arrosé et une exposition ensoleillée ou partiellement ombragée. On l'utilise en bordure, massifs ou comme plante d'intérieur.

Multiplication :
Division des rhizomes, séparation des rejets.

n scientifique :
ELICONIA CARIBAEA ▶

n vernaculaire :
LISIER

nille :
SACEES

scription : Il existe environ 600
èces et variétés différentes de
LISIERS qui se différencient par
r port, la grandeur et la couleur de
lorescence. Les grandes feuilles
années sont parfois plus hautes
e l'inflorescence. Celles-ci sont
nposées d'épaisses bractées plus
moins soudées, richement colo-
s, cachant de petites fleurs. Parmi
espèces les plus courantes citons
CARIBAEA) (rouge ou jaune),(H.
GNERIANA) (Bicolore), (H. BIHAII)
palisier nain (orange).

isation : Ces plantes aiment la
aleur et l'humidité et supportent la
ni-ombre. Les plus grandes peu-
t être utilisées isolément alors que
espèces naines réalisent des
ssifs fleuris toute l'année qui ga-
ent à être rabattus au ras du sol
ès chaque floraison.

raison :
te l'année.

ltiplication :
mis, division de touffe.

H. ROSTRATA

H. CARIBAEA

H. IMBRICATA

H. LATISPATHA

H. ACUMINATA

H. IMBRICATA

H. PSITTACORUM

H. ROSTRATA

H. HUMILIS

H. WAGNERIANA

S. NICOLAI

S. NICOLAI

Nom scientifique :
STRELITZIA REGINAE

Nom vernaculaire :
OISEAU DE PARADIS

Famille :
MUSACEES

Description : Cette grande plante a de longues feuilles bleutées disposées en éventail et de superbes inflorescences oranges et bleues, semblables à un oiseau exotique, les fleurs s'ouvrant les unes après les autres. STRELITZIA NICOLAI, de plus grande taille (3 à 4 m) à des fleurs bleues et blanches.

Floraison :
Janvier à décembre.

Utilisation : Elle demande un sol riche, de copieux arrosages et le plein soleil. On l'utilise en massif ou comme fleur coupée jusque dans les zones méditerranéennes.

Multiplication :
Semis ou division de touffe.

S. REGINAE

Nom scientifique :
MUSA COCCINEA

Nom vernaculaire :
BANANIER D'ORNEMENT

Famille :
MUSACEES

Origine :
Asie du Sud-Est.

Description : A côté des bananiers cultivés pour leurs fruits, il existe des espèces décoratives par leur feuillage (MUSA ENSETE) ou par leur inflorescence. MUSA COCCINEA porte un épi dressé de fleurs rouge corail.
MUSA VELUTINA a des fruits roses dressés veloutés. MUSA ORNATA présente un épi pendant lilas.

Floraison :
Janvier à décembre.

Utilisation : Ce sont des plantes qui demandent chaleur et humidité et supportent une semi-ombre. Leurs épis floraux sont utilisés dans la confection de bouquets.

Multiplication :
Semis ou séparation des rejets.

M. ORNATA

M. VELUTINA

M. COCCINEA

P. ODORATISSIMUS

P. SANDERI

A. MEXICANA

Nom scientifique :
PANDANUS SANDERI

Nom vernaculaire :
BAKOUA, VAQUOIS

Famille :
PANDANACEES

Origine :
Inde ou Polynésie.

Description : Cette grande plante est surtout remarquable par ses longues feuilles rubannées panachées de jaune. Les fleurs sont suivies par un gros fruit charnu marron ou orangé très décoratif. Agé, la plante emet des racines-contrefort impressionnantes.

Utilisation : Elle résiste parfaitement à la sécheresse et aux sols médiocres et pousse aussi bien au soleil qu'à mi-ombre. Les feuilles réduites en lanière servent à la fabrication de paniers et de chapeaux.

Multiplication :
Séparation des rejets.

M. JALAPA

M. JALAPA

Nom scientifique :
ARGEMONE MEXICANA

Nom vernaculaire :
PAVOT EPINEUX, CHARDON MARBRE

Famille :
PAPAVERACEES

Origine :
Amérique tropicale.

Description : Ce petit pavot vivace a des feuilles dentées, épineuses, bleutées à nervures blanches et de grandes fleurs jaune d'or ou blanches.

Floraison :
Toute l'année.

Utilisation : Résistant à la sécheresse et aux vents marins, il est apprécié pour décorer les talus sableux. Il peut être cultivé jusqu'en zone méditerranéenne.

Multiplication :
Semis.

Nom scientifique :
MIRABILIS JALAPA

Nom vernaculaire :
BELLE DE NUIT

Famille :
NYCTAGINACEES

Origine :
Amérique tropicale

Description : Cette plante herbacée à gros tubercule et à feuilles vernissées porte des fleurs tubulaires pourpres, jaunes ou blanches, qui s'ouvrent en fin de journée en répandant un parfum suave.

Floraison :
Toute l'année.

Utilisation : Rustique, elle supporte des sols médiocres, la sècheresse et une exposition semi-ombragée. On la cultive comme plante annuelle en zone septentrionale. Les graines contiennent une substance amylacée autrefois utilisée pour le maquillage en Orient.

Multiplication :
Semis.

S. MAMMOSUM

S. MAMMOSUM

T. ULMIFOLIA

Nom scientifique
TURNERA ULMIFOLIA ▶

Famille :
TURNERACEES

Origine :
Amérique tropicale.

Description : Cette petite plante ligneuse porte des feuilles pubescentes aux nervures saillantes et des fleurs régulières jaunes ou blanches à cœur plus foncé, s'ouvrant le matin et se fermant à midi.

Floraison : Janvier à décembre.

Utilisation : Elle supporte la sécheresse, les embruns et les sols médiocres. On l'utilise en bordure, en massifs ou au sommet des murets d'où elle retombe élégamment. Sa durée de vie est assez courte. Les feuilles donnent une infusion tonique.

Multiplication :
Semis ou bouturage.

Nom scientifique :
SOLANUM MAMMOSUM
Nom vernaculaire :
POMME POISON, POMME ZOMBI

Famille :
SOLANACEES

Origine : Antilles

Description : Cette petite plante ligneuse, vigoureuse, porte des feuilles pubescentes et des petites fleurs mauves suivies de fruits curieux en forme de poire, orange, très décoratifs. S. PSEUDOCAPSICUM, le pommier d'amour a des petits fruits sphériques rouge-orangé.

Floraison : Toute l'année

Utilisation : Peu difficile sur la nature du sol, elle demande une exposition ensoleillée. Les fruits sont toxiques.

Multiplication : Semis.

P. LANCEOLATA

P. LANCEOLATA

Nom scientifique :   ▲
PENTAS LANCEOLATA
OPHIORRHIZA LANCEOLATA

Nom vernaculaire :
MALADRIERE, FLEUR A DIABLE, CORBEILLE D'ARGENT

Famille :
RUBIACEES

Origine :
Afrique tropicale, Arabie

Description : Cette plante herbacée pérenne a des feuilles lancéolées à nervures marquées et des fleurs de couleur vive (rouge, rose, orangé) regroupées en panicules terminaux.

Floraison : Toute l'année.

Utilisation : Demandant une exposition ensoleillée, un sol riche, bien drainé et bien arrosé, on l'utilise en bordures et massifs.

Multiplication : Bouturage, semis.

Nom scientifique :
LANTANA CAMARA

Nom vernaculaire :
VIEILLE FILLE, Melle MARIE DER-
RIERE L'HOPITAL, MILLE FLEURS

Famille :
VERBENACEES

Origine :
Amérique tropicale.

Description : Cette plante arbustive
étalée, porte des feuilles rugueuses
dentées et de petites fleurs jaunes,
roses, oranges ou rouges regroupées
en cimes terminales. Il en existe de
nombreuses variétés. L. MONTEVI-
DENSIS (L. SELLOWIANA) porte des
fleurs mauve pâle.

Floraison : Toute l'année

Utilisation : Peu exigeant, elle préfère
cependant les sols riches et bien
drainés et une exposition ensoleillée.
On l'utilise en massif comme couvre
sol. En régions septentrionales les
plantes sont rentrées en serre l'hiver.

Multiplication :
Bouturage.

L. MONTEVIDENSIS

L. CAMARA

L CAMARA

L MONTEVIDENSIS

H. CORONARIUM

Nom scientifique :

HEDYCHIUM CORONARIUM

Nom vernaculaire :
LIS DE LA VIERGE, CANNE D'EAU, LONGOSE

Famille :
ZINGIBERACEES

Origine :
Asie du Sud-Est.

Description : Des touffes de feuilles vert sombre, sortent des inflorescences au grandes fleurs blanches (jaune chez H. FLAVUM) très parfumées.

Floraison : Août à novembre

Utilisation : La plante supporte un sol pauvre mais demande beaucoup d'eau. Elle doit recevoir le soleil pendant une partie de la journée pour fleurir. On en tire une huile utilisée en parfumerie.

Multiplication :
Division de touffe.

C. SPECIOSUS

Nom scientifique :

COSTUS SPECIOSUS

Nom vernaculaire :
CANNE D'EAU

Famille :
ZINGIBERACEES

Origine :
Asie du Sud-Est - Naturalisée sous les tropiques.

Description : L'épi rouge brique de la canne d'eau est porté par une tige de 1,50 à 3 m de haut, où les feuilles s'insèrent en spirale. Les grandes fleurs apparaissent successivement au sommet de l'épi.

Floraison :
Toute l'année.

Utilisation : Elle préfère une exposition ombragée et un sol humide mais se contente de situations plus ingrates.

Multiplication :
Division des rhizomes

P. MAGNIFICA

P. MAGNIFICA

Nom scientifique :

PHAEOMERIA
MAGNIFICA

NICOLAIA ELATIOR

Nom vernaculaire :
ROSE DE PORCELAINE

Famille :
ZINGIBERACEES

Origine :
Malaisie

Description : Au dessous d'immenses feuilles découpées (2 à 4 m) apparaissent des inflorescences cireuses portées par de solides tiges. Elles sont composées de bractées variant du blanc au rouge, cachant de minuscules fleurs.

Floraison : Toute l'année

Utilisation : C'est une plante de grand développement demandant chaleur et humidité et une exposition ombragée. Elle aime le bord des pièces d'eau. Les inflorescences sont utilisées dans la composition des bouquets.

Multiplication :
Semis ou division de touffe.

P. MAGNIFICA

S. WALLISII

S PATHIPHYLLUM
WALLISII

Famille :
ARACÉES

Origine :
Amérique tropicale

Description : Cette plante herbacée porte de grandes feuilles lancéolées aux nervures saillantes et des inflorescences composées d'un spathe concave blanc et d'un spadice blanc rosé.

Floraison :
Janvier à décembre.

Utilisation : Demandant une exposition ombragée mais lumineuse, il pousse en sol fertile, bien drainé et bien arrosé. On l'utilise en massifs ou pour la production de fleurs à couper.

Multiplication :
Séparation des rejets

Nombreux sont les arbres tropicaux
remarquables par leur floraison.
Quelques-uns, résistants au froid, ont
été acclimatés en Europe et en
Amérique du Nord, comme le mimosa
ou l'eucalyptus.
Mais la plupart sont l'apanage exclusif
des zones tropicales et équatoriales où
ils ponctuent la campagne, les parcs et
les artères des villes de leurs couleurs
chatoyantes.

Les Arbres

P. RUBRA

P. RUBRA

Nom scientifique :
PLUMIERIA RUBRA

Nom vernaculaire :
FRANGIPANIER

Famille :
APOCYNACEES

Origine : Amérique tropic., Antilles

Description : Ce petit arbre trapu, aux grosses branches terminées par un bouquet de longues feuilles épaisses, caduques, se rencontre dans toutes les régions tropicales. Les fleurs rou-ges, roses ou oranges, parfumées, apparaissent à l'extrémité des rameaux. PLUMIERIA ALBA a des fleurs blanc pur.

Floraison : Novembre à juin.

Utilisation : C'est un arbre à pousse lente qui résiste à la sécheresse et aux embruns. Toute la plante exude un latex toxique quand on la taille ; les indiens utilisaient le latex pour cautériser les plaies.

Multiplication : Bouturage de bois, après séchage des plaies.

P. RUBRA

T. PERUVIANA

Nom scientifique :
THEVETIA PERUVIANA ▶

Nom vernaculaire :
BOIS-LAIT

Famille :
APOCYNACEES

Origine :
Amérique tropicale.

Description : Ce petit arbre à feuilles persistantes luisantes donne des fleurs en trompette jaune suivies par de petits fruits quadrangulaires.

Floraison : Janvier à décembre.

Utilisation : C'est un arbre résistant à la sécheresse et aux embruns, qui supporte une ombre légère. Il est très vénéneux et a des propriétés toni-cardiaques. Les noyaux des fruits, luisants sont utilisés pour confection-ner colliers et amulettes.

Multiplication :
Semis ou bouturage.

T. PERUVIANA

Nom scientifique :
**BRASSAIA
ACTINOPHYLLA**

Nom vernaculaire :
ARBRE PIEUVRE

Famille :
ARALIACEES

Origine :
Australie

Description : Cet arbre columnaire a de grandes feuilles palmées en forme de parasol, et de longues inflorescences terminales rouge vif.

Floraison :
Mars à septembre.

Utilisation : Résistant en bord de mer, il peut être taillé pour obliger l'apparition de nouvelles pousses.

Multiplication :
Semis ou bouturage.

Nom scientifique :
KIGELIA PINNATA ▶

Nom vernaculaire :
ARBRE A SAUCISSON

Famille :
BIGNONIACEES

Origine :
Afrique tropicale

Description : Cet arbre à cime étalée, à feuilles persistantes composées se couvre d'inflorescences pendantes rouge sombre, malodorantes, s'ouvrant le matin et tombant le soir. Elles sont suivies de fruits en forme de saucisson, non comestibles.

Floraison : Janvier à mai

Utilisation : Il est apprécié comme arbre d'alignement et d'ombrage. Le fruit, sacré en Afrique a des vertus médicinales.

Multiplication :
Semis

B. ACTINOPHYLLA

K. PINNATA

K. PINNATA

Nom scientifique :
SPATHODEA CAMPANULATA
▶

Nom vernaculaire :
TULIPIER DU GABON. BATON DE SORCIER

Famille : BIGNONIACEES

Origine : Afrique de l'ouest. Sa diffusion date du XVIIIème siècle.

Description : C'est un grand arbre, à fût droit et à feuilles persistantes composées. Les grandes fleurs rouge orangé s'ouvrent sur le pourtour de l'inflorescence, entourant les boutons duveteux marrons.

Floraison : Décembre à mai.

Utilisation : Résistant à la sécheresse, il est apprécié pour sa pousse rapide et son abondant feuillage.

Multiplication : Semis ou bouturage.

S. CAMPANULATA

S. CAMPANULATA

T. PALLIDA

Nom scientifique :

TABEBUIA ROSEA,
TABEBUIA
CHRYSOTRICHA

Nom vernaculaire :
POUI, POIRIER-PAYS

Famille :
BIGNONIACEES

Origine :
Amérique tropicale.

Description : Ce sont en général de
grands arbres (jusqu'à 60 mètres de
haut) à bois gris, à feuilles composées,
caduques et à la floraison spectacu-
laire. TABEBUIA CHRYSOTRICHA, le
Poui jaune et TABEBUIA ROSEA, le
Poui rose ont des fleurs rassemblées
en inflorescences globulaires.
TABEBUIA PALLIDA, le Poui pays a
des fleurs rose violacé moins nombreuses.

Floraison : Février à juin.

Utilisation : Ils demandent un sol
riche et bien drainé le plein soleil et
doivent être protégés des vents forts.
Leur bois dense, à grain fin est utilisé
en ébénisterie. Ce sont des arbres à
isoler sur une grande pelouse.

Multiplication :
Semis, bouturage ou marcottage.

T. PALLIDA

Nom scientifique :

TECOMA STANS
STENOLOBIUM STANS

Nom vernaculaire :
BOIS-PISSENLIT

Famille :
BIGNONIACEES

Origine :
Antilles, Amérique Centrale

Description : Ce petit arbre porte des feuilles composées dentées et de nombreuses fleurs jaunes en trompette.

Floraison :
Octobre à avril.

Utilisation : Supportant les sols médiocres et la sécheresse il demande le plein soleil et résiste en bord de mer.

Multiplication :
Bouturage, Semis.

T. STANS

T. STANS

C. SEBESTENA

Nom scientifique :
CORDIA SEBESTENA

Nom vernaculaire :
MAPOU ROUGE, SEBESTIER

Famille :
BORRAGINACEES

Origine :
Antilles

Description : Ce petit arbre à feuilles rugueuses porte des fleurs oranges en grosses inflorescences terminales suivies de fruits charnus, blancs, décoratifs.

Floraison : Janvier à décembre.

Utilisation : Fleurissant dès son plus jeune âge, il est très utilisé dans les parcs et jardins ainsi qu'en bord de mer où sa résistance aux embruns est excellente. Il demande un sol bien drainé.

Multiplication :
Semis.

P. AQUATICA

C. VITIFOLIUM

Nom scientifique :
ACHIRA AQUATICA

Nom vernaculaire :
CHATAIGNER MARRON

Famille :
BOMBACACEES

Origine :
Amérique du Sud, Antilles.

Description : Les fleurs de ce grand arbre, solitaires, odorantes, forment d'élégantes aigrettes blanches au milieu d'un joli feuillage palmé, verni-ssé.

Floraison :
Décembre à mars.

Utilisation : C'est un arbre qui demande un climat humide et un sol riche. Le bois gris léger a la même utilisation que le balsa. Il est utilisé pour attirer les insectes nuisibles dans les plantations de cacaoyer, ceux-ci pondant dans son bois poreux.

Multiplication :
Semis, bouturage ou marcottage.

Nom scientifique : ▲
COCHLOSPERMUM
VITIFOLIUM

Nom vernaculaire :
ROSE DU BRESIL

Famille :
COCHLOSPERMACEES

Origine :
Amérique tropicale.

Description : Les grandes fleurs jaunes, simples ou doubles apparaissent à la fin de l'hiver, après la chute des grandes feuilles palmées. Le tronc et les branches ont une belle écorce grise. Le fruit contient une bourre blanche semblable à du coton.

Floraison : Février à avril.

Utilisation : Il demande une exposition ensoleillée, protégée des vents forts à cause de son bois cassant et un sol bien drainé. Sa croissance est rapide et il fleurit jeune.

Multiplication :
Semis ou bouturrage.

Nom scientifique :
BARRINGTONIA
　SPECIOSA

Nom vernaculaire :
BONNET D'EVEQUE

Famille : LECYTHIDACEES

Origine : Inde.

Description : Les boutons en forme de tulipe blanche, s'épanouissent de nuit, laissant apparaître de nombreuses étamines saillantes rosées, qui tombent dans la matinée, jonchant le sol au pied de l'arbre. Les fleurs sont très parfumées ; elles sont suivies de gros fruits qui, emportés par les courants marins ont contribué à la dissémination de l'espèce. Les grandes feuilles sont coriaces et brillantes.

Floraison : Novembre à mars.

Utilisation : C'est un arbre qui résiste bien aux vents et aux embruns et supporte l'ombre. Il apporte un ombrage apprécié en bord de mer ou en alignement.

Multiplication : Semis.

Nom scientifique :
COUROUPITA
　GUIANENSIS

Nom vernaculaire :
ARBRE BOULET DE CANON

Famille :
LECYTHIDACEES

Origine :
Amérique du Sud.

Description : La silhouette générale de ce grand arbre évoque celle d'un orme. Mais, du tronc pendent de longs

rameaux sans feuilles portant des grappes de fleurs parfumées aux pétales épais, ivoires et de gros fruits sphériques malodorants. Fleurs et fruits existent en même temps sur l'arbre, ces derniers mettant jusqu'à 18 mois pour mûrir.

Floraison :
Janvier à décembre.

Utilisation : Solitaire il est remarquable. Ses fruits peuvent être utilisés comme ustensiles.

Multiplication :
Semis.

C. GUIANENSIS

B. SPECIOSA

C. GUIANENSIS

A. LEBBECK

Nom scientifique :

ALBIZZIA LEBBECK

Nom vernaculaire : CHA-CHA, LANGUE DE VIEILLE FEMME, EBENIER D'ORIENT

Famille : LEGUMINEUSES

Origine : Zones subtropicales de l'Afrique du Nord à l'Australie.

Description : Ce grand arbre à cime étalée a des feuilles caduques découpées, des inflorescences en aigrettes jaune crême, odorantes, suivies de longues gousses sèches qui chantent dans le vent.

Floraison : Août à novembre. Gousses d'octobre à juin.

Utilisation : Il pousse rapidement, résiste à la sécheresse et réclame le plein soleil. En Inde, on l'utilise comme ombrage des plantations de caféier.

Multiplication : Semis.

A. GRANDIFLORA

Nom scientifique :
AMHERSTIA NOBILIS ▶

Nom vernaculaire :
TOHA

Famille :
LEGUMINEUSES

Origine :
Birmanie

Description : Ce grand arbre est remarquable par ses fleurs rose carmin en longs racèmes gracieux, pendants, aux étamines saillantes, se détachant sur de grandes feuilles pennées.

Floraison :
Janvier à août.

Utilisation : De culture délicate, il demande un sol riche, profond, bien drainé, un climat humide et a une préférence pour les sols neutres ou calcaires.

Multiplication :
Semis (graines peu nombreuses), bouturage ou marcottage.

A. NOBILIS

Nom scientifique :
AGATI GRANDIFLORA
  SESBANIA GRANDIFLORA

Nom vernaculaire :
COLIBRI VEGETAL.

Famille :
LEGUMEUSES.

Origine :
Asie tropicale

Description : Cet arbre au feuillage finement découpé donne des grappes de grandes fleurs rose vif à éperon pointu, suivi de très longues gousses décoratives. Il existe une variété à fleurs blanches.

Floraison : Novembre à février.

Utilisation : Peu difficile sur la nature du sol et le climat, on l'utilise comme arbre d'alignement. Il sert de fourrage au bétail dans son pays d'origine.

Multiplication :
Semis.

A. NOBILIS

B. MONANDRA

B. BLAKEANA

B. BLAKEANA

B. VARIEGATA

Nom scientifique :
BAUHINIA BLAKEANA

Nom vernaculaire :
ARBRE ORCHIDÉE
ORCHIDÉE DU PAUVRE

Famille :
LEGUMINEUSES

Origine :
Asie du Sud Est.

Description : Ce petit arbre à tronc court porte de grandes fleurs pourpres ressemblant à des orchidées. Elles sont suivies de longues gousses sèches. Les grandes feuilles cordiformes ajoutent à l'élégance de l'arbre. BAUHINIA MONANDRA à des fleurs plus petites rose pâle. BAUHINIA VARIEGATA « CANDIDA » à des fleurs blanches.

Floraison :
Novembre à juin.

Utilisation : Il demande un sol bien drainé et une situation ensoleillée. Il résiste à la sécheresse. Les jeunes feuilles et les boutons sont parfois consommés par les indigènes ; les feuilles sont fumées et l'écorce riche en tanin est utilisée en décoction contre les ulcères. Les fleurs rentrent dans la composition de guirlandes religieuses.

Multiplication :
Semis.

B. CANDIDA

B. GRANDICEPS

Nom scientifique :
BROWNEA GRANDICEPS

Nom vernaculaire :
ROSE DU VENEZUELA

Famille : LEGUMINEUSES

Origine : Vénézuela.

Description : Ce petit arbre à feuilles persistantes porte des fleurs oranges groupées en lourdes inflorescences qui pendent de l'arbre comme de grosses boules de Noël.

Floraison : Décembre à mars.

Utilisation : Il demande un sol riche et un climat humide, supporte une ombre légère et pousse lentement.

Multiplication : Bouturage, marcottage ou semis.

Nom scientifique :
CASSIA FISTULA

Nom vernaculaire : CANEFICIER

Famille : LEGUMINEUSES

Origine : Amérique tropicale

Description : Le genre Cassia comprend de nombreuses espèces d'arbres ou d'arbustes tropicaux à feuilles découpées et aux nombreuses grappes de fleurs jaunes comme C. FISTULA ou dressées comme C. ALATA ou roses comme C. JAVANICA.

Floraison : Mars à juin.

C. JAVANICA

C. SPECTABILIS

C. FISTULA

Utilisation : Peu exigeants sur la nature du sol, les Cassias demandent une exposition ensoleillée. On les utilise comme arbres d'alignement ou solément.

Multiplication : Semis ou bouturage.

C. ALATA

C. ALATA

D. REGIA

Nom scientifique :
DELONIX REGIA

Nom vernaculaire :
FLAMBOYANT

Famille :
LEGUMINEUSES.

Origine :
Madagascar.

Description : Sa cime en ombrelle, son feuillage caduc finement découpé, ses grandes fleurs festonnées rouges ou jaunes suivies de longues gousses noires, font de cet arbre l'un des rois des tropiques.

Floraison : Mai à août

Utilisation : Il demande un sol profond, supporte parfaitement la sécheresse et pousse rapidement. On l'utilise en arbre d'alignement ou isolément.

Multiplication :
Semis.

D. REGIA

Nom scientifique :
ERYTHRINA INDICA-PICTA ▶

Nom vernaculaire :
GRIFFE DU TIGRE

Famille :
LEGUMINEUSES

Origine :
Inde, Brésil, Afrique du Sud.

Description : Le genre ERYTHRINE comprend de nombreuses espèces à la floraison rouge vif. ERYTHRINA INDICA-PICTA a un feuillage panaché de jaune et une écorce grise ; les fleurs sont regroupées en inflorescences compactes rouge brique. ERYTHRINA BERTEROAÑA a des inflorescences en épis vermillons ERYTHRINA CRISTA-GALLII fleurit en extérieur jusque dans les régions méditerranéennes.

Floraison :
Février à avril

Utilisation :
Les ERYTHRINES sont cultivées depuis longtemps : Les Aztèques les employaient déjà comme arbre d'alignement et comme ombrage des plantations de cacaoyer. Toutes les parties de la plante, à l'exception de la fleur parfois consommée par les indigènes, sont toxiques et servent d'insecticide, ou de poison pour la pêche. La fleur est le symbole de la ville de Los Angeles.

Multiplication :
Semis ou bouturage.

E. BERTEROANA

E. INDICA PICTA

E. POEPPIGIANA

E. POEPPIGIANA

Nom scientifique :
GLIRICIDIA SEPIUM ▶

Nom vernaculaire : GLIRICIDIA

Famille : LEGUMINEUSES

Origine : Amérique tropicale.

Description : Ce petit arbre est couvert de fleurs roses apparaissant en inflorescences compactes tout le long des rameaux défeuillés, les feuilles étant caduques.

Floraison : Janvier à mars.
Toute l'année.

Utilisation : Il est couremment utilisé pour délimiter les parcelles ou ombrager les plantations de caféiers, cacaoyers ou vanille, à qui il apporte une nourriture azotée, ayant la propriété, comme beaucoup de légumineuses de fixer l'azote du sol grace aux bactéries vivant en symbiose avec ses racines. Les feuilles, graines et racines toxiques auraient des propriétés raticides. Son joli bois rouge est utilisé en marqueterie.

Multiplication : Semis ou bouturage.

G. SEPIUM

G. SEPIUM

Nom scientifique : ▶
PELTOPHORUM PTEROCARPUM

Nom vernaculaire :
PELTOPHORE, PALLISSANDRE DE RIO

Famille :
LEGUMINEUSES

Origine : Asie du Sud Est.

Description : Ce grand arbre à cime étalée a un élégant feuillage bipenné duquel se détachent des épis de fleurs jaunes délicatement festonnées, exhalant la nuit une odeur de pamplemousse. Les boutons floraux, le calice, les étamines et les jeunes pousses sont ferrugineux : les Javanais en tirent le « Soya », colorant servant à l'impression des sarongs.

Floraison : Janvier à juin.

Utilisation : Indifférent à la nature du sol, on l'utilise en alignement où il est préféré au flamboyant, son système racinaire étant moins puissant.

Multiplication : Semis.

Nom scientifique :
HAEMATOXYLON
CAMPECHIANUM

Nom vernaculaire :
CAMPECHIER

Famille :
LEGUMINEUSES

Origine :
Antilles, Yucatan.

Description : Ce petit arbre au feuillage découpé se couvre à la saison
sèche de nombreuses inflorescences
aux petites fleurs jaunes délicieusement parfumées.

Floraison : Janvier à avril.

Utilisation : Il supporte un sol médiocre et la sécheresse. Le nectar, très
apprécié des abeilles donne un miel
excellent.

Multiplication :
Semis ou bouturage.

H. CAMPECHIANUM

P. PTEROCARPUM

P. PTEROCARPUM

Nom scientifique :

LAGERSTROEMIA SPECIOSA

Nom vernaculaire :
GESTRAME, LAGEROSE

Famille :
LYTHRACEES

Origine : Asie du Sud Est.

Description : Ce grand arbre aux longues feuilles composées persistantes se couvre de fleurs roses ou mauves aux pétales délicatement crêpés, regroupées en longues inflorescences terminales dressées. LAGERSTROEMIA INDICA, plus petit à un joli feuillage vernissé, une écorce rouge et des inflorescences aux petites fleurs rouges, roses ou blanches.

Floraison : Mai à aôut

Utilisation : C'est un arbre à développement rapide utilisé en alignement ou par petits groupes. Il demande un climat chaud, humide et une exposition ensoleillée. Son bois gris est utilisé en ébénisterie.

Multiplication : Semis.

L SPECIOSA

L INDICA

L INDICA

L SPECIOSA

H. ELATUS

Nom scientifique :
HIBISCUS ELATUS ▶

Nom vernaculaire :
MAHOT BOIS BLEU

Famille :
MALVACEES

Origine :
Amérique tropicale.

Description : Cet arbre au tronc droit, gris, aux branches retombantes et aux feuilles cordiformes porte des fleurs jaunes qui foncent en s'épanouissant.

Floraison : Toute l'année

Utilisation : Résistant à la sécheresse mais préférant un climat chaud et humide, il est utilisé en alignement et en reboisement. Son bois est utilisé en marqueterrie.

Multiplication :
Semis.

H. ELATUS

M. FURFURACEA

M. AZEDARACH

Nom scientifique :
FICUS ASPERA ▶

Nom vernaculaire :
FIGUIER CLOWN

Famille :
MORACEES

Origine :
Océanie

Description : Ce petit arbre aux longues branches porte de grandes feuilles panachées de crème. Les petites fleurs sont suivies de fruits sphériques rouges panachés de blanc. F. BENJAMINA et F. ELASTICA, le caoutchouc sont de grands arbres à cime étalée et aux nombreuses racines aériennes pendantes.

Utilisation : Demandant chaleur et humidité, les ficus s'utilisent isolément sur pelouse car ils demandent beaucoup d'espace. Certains Ficus sécrètent une gomme caoutchouteuse qui sert à faire des laques.

Multiplication :
Bouturage.

Nom scientifique :
MICONIA FURFURACEA

Nom vernaculaire :
BOIS COTELETTE, CRECRE GRAND-BOIS

Famille :
MELASTOMACEES

Origine :
Antilles

Description : Ce petit arbre à grandes feuilles aux nervures saillantes porte des inflorescences terminales rouge pourpre dont les fleurs ont un calice blanc pur. M. HOOKERIANA a de grandes feuilles vert olive.

Floraison :
Mars à novembre

Utilisation : Plante de la forêt hygrophile, il demande chaleur et humidité.

Multiplication :
Semis.

Nom scientifique :
MELIA AZEDARACH

Nom vernaculaire :
LILAS DES INDES
MARGOUSIER, ARBRE A CHAPELETS

Famille :
MELIACEES

Origine :
Inde, Chine.

Description : Ce grand arbre aux feuilles bipennées porte de petites fleurs blanches et mauves en grappes parfumées, suivies par de grosses baies jaunes. La variété UMBRACULIFERA a la forme d'un parasol.

Floraison : Mars à novembre.

Multiplication :
Semis.

F. ASPERA

F. BENJAMINA

C. SPECIOSUS

Nom scientifique :
CALLISTEMON
SPECIOSUS

Nom vernaculaire :
ARBRE ÉCOUVILLON, RINCE-BOUTEILLE

Famille :
MYRTACÉES

Origine :
Australie

Description : Ce petit arbre aux feuilles fines et raides, fleurit en épis denses, rouge vif, tout autour des rameaux, donnant à l'inflorescence l'aspect d'un écouvillon. Il en existe d'autres espèces à fleurs rouges ou jaunes, cultivables en région méditerranéenne.

Floraison :
Mars à juin

Utilisation : Indifférent à la nature du sol, il est remarquable isolé ou en fond de massif. Il est résistant à la sécheresse.

Multiplication :
Semis ou bouturage.

C. SPECIOSUS

E. MALACCENSE

E. MALACCENSE

om scientifique :

UGENIA MALACCENSE ▶

om vernaculaire :
OMME D'EAU, POMME ROSE

amille : MYRTACEES

rigine : Malaisie, introduit aux Antilles en 1793 par le apitaine BLIGH.

escription : Cet arbre pyramidal aux feuilles satinées onne des fleurs aux étamines saillantes pourpres qui ont suivies de petits fruits juteux comestibles. E. AMBOS a des fleurs blanches et des fruits galement comestibles.

loraison : Février à mars.

tilisation : Demandant un climat chaud et humide, pomme d'eau est utilisée tant pour son aspect rnemental que pour sa production de fruits très préciés. Le bois, sacré en Polynésie, sert à la brication de figurines religieuses.

ultiplication : Semis.

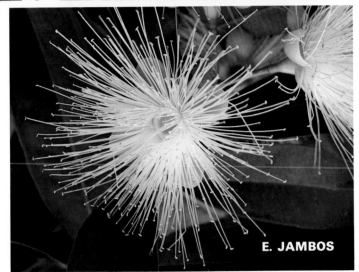

E. JAMBOS

Nom scientifique :
CITRUS SINENSIS ▶

Nom vernaculaire :
ORANGER

Famille :
RUTACEES

Origine :
Asie du Sud Est.

Description : Ce petit arbre aux feuilles coriaces luisantes porte de petites
fleurs cireuses très odorantes suivies
de gros fruits comestibles : les
oranges. Parmi les autres agrumes,
citons la lime (C. AURANTIFLOLIA), le
citron (C. LIMON), le pamplemousse
(C. GRANDIS)

Floraison : Janvier à décembre

Utilisation : Peu difficile sur la nature
du   sol,   l'oranger   peut
être isolé et taillé pour lui donner une
forme régulière.

Multiplication :
Semis, bouturage.

C. SINENSIS

LINARIIFOLIA

Nom scientifique :
QUASSIA AMARA ▶

Nom vernaculaire :
QUININE CAYENNE, QUINNA

Famille :
SIMARUBIACEES

Origine :
Amérique du Sud, Antilles

Description : Ce petit arbre porte des feuilles composées à pétiole ailé et des inflorescences terminales aux fleurs en tubes rouges, à étamines saillantes.

Floraison :
Mars à juin

Utilisation : Il demande un sol riche et une bonne humidité atmosphérique. Le bois et l'écorse amers, sont toniques et apéritifs. On les utilise ainsi que les fruits en infusion. Le bois a aussi des propriétés insecticides. Son nom vient d'un nègre Quassi qui l'employa comme fébrifuge.

Multiplication :
Bouturage

Q. AMARA

◀ **Nom scientifique :**
MELALEUCA
LINARIIFOLIA

Nom vernaculaire :
MYRTE

Famille :
MYRTACEES

Origine :
Australie

Description : Les inflorescences plumeuses blanches de cet arbre se détachent sur de petites feuilles elliptiques vert foncé, orodantes. L'écorce beige, parcheminée est très décorative.

Floraison :
Janvier à avril.

Utilisation : Toujours vert, il est utilisé pour son ombrage. Il supporte bien le bord de mer et la sécheresse. On le trouve cultivé dans les zones méditerranéennes.

Multiplication :
Semis ou bouturage.

Q. AMARA

S. MACRANTHUM

P.ARBOREA

P. ARBOREA

P. GLANDULOSA

Nom scientifique :
SOLANUM MACRANTHUM

Nom vernaculaire :
ARBRE A PATATE

Famille :
SOLANACEES

Origine :
Brésil

Description : Ce petit arbre à bois sombre possède de grandes feuilles pubescentes et des fleurs mauves qui palissent en fanant.

Floraison :
Février à mai

Utilisation : Il demande un climat chaud et humide et supporte une ombre partielle. Il pousse rapidement mais sa durée de vie est courte. On peut le cultiver sous serre en région septentrionale.

Multiplication :
Semis ou bouturage.

P. GLANDULOSA

Nom scientifique :
PETREA ARBOREA

Famille :
VERBENACEES

Origine :
Amérique du Sud

Description : Ce petit arbre aux feuilles lancéolées rugueuses a des fleurs bleues regroupées en longues inflorescences au calice persistant. P. GLANDULOSA a des fleurs blanches.

Floraison :
Janvier à avril

Utilisation : Poussant lentement, il est peu exigeant sur la nature du sol et résiste à la sécheresse. Il demande une exposition ensoleillée. On peut l'utiliser isolément ou dans un massif arbustif.

Multiplication :
Bouturage.

Nom scientifique :
GAIACUM OFFICINALE
LIGNUM VITAE

Nom vernaculaire :
GAÏAC

Famille :
ZYGOPHYLLACEES

Origine :
Antilles

Description : Ce petit arbre au joli feuillage vernissé, persistant et au tronc gris, porte de nombreuses petites fleurs étoilées, bleues.

Floraison :
Mars à novembre

Utilisation : C'est un arbre résistant à la sécheresse et en bord de mer. Sa croissance est lente. Il est apprécié pour son ombrage. Son bois, très lourd et très dur était autrefois utilisé en construction navale.

Multiplication :
Semis

G. OFFICINALE

G. OFFICINALE

*Si dans les régions tempérées,
l'hiver se caractérise par sa grisaille
et sa quasi absence de floraison,
sous les tropiques, en revanche, il y
a toujours de la couleur grâce,
entre autres, aux nombreux arbustes y fleurissant toute l'année
comme l'hibiscus ou la bougainvillée se succèdant au fil des saisons sèches ou humides.*

Les Arbustes

Nom scientifique :
GRAPTOPHYLLUM
PICTUM

Nom vernaculaire :
CARICATURE

Famille :
ACANTHACEES

Origine :
Nouvelle-Guinée

Description : Cet arbuste est surtout cultivé pour la beauté de son feuillage coloré de vert, de blanc, de rose ou de rouge. Les fleurs roses apparaissent en inflorescences terminales.

Floraison :
Janvier à décembre.

Utilisation : Peu difficile sur la nature du sol, il demande du soleil, de la chaleur et de l'humidité. On en fait des haies décoratives.

Multiplication :
Bouturage.

Nom scientifique :
ODONTONEMA STRICTA

Nom vernaculaire :
BOIS INDIEN, BOIS GENOU

Famille :
ACANTHACEES

Origine :
Amérique Centrale.

Description : Ce petit arbuste a de grandes feuilles vert foncé, luisantes et des fleurs rouges, tubulaires, regroupées en inflorescences terminales.

Floraison : Toute l'année

Utilisation : Il demande un sol fertile, bien drainé et une exposition semi-ombragée. Poussant rapidement, il gagne à être taillé régulièrement pour garder une forme harmonieuse.

Multiplication :
Bouturage.

G. PICTUM

O. STRICTA

Nom scientifique :
JACOBINIA MAGNIFICA
JUSTICIA CARNEA

Nom vernaculaire :
TULIPE CREOLE

Famille :
ACANTHACEES

Origine :
Brésil.

Description : Ce petit arbuste à tige carrée, porte des feuilles brillantes aux nervures saillantes et des fleurs roses vif à deux lèvres regroupées en épis terminaux.

Floraison : Janvier à décembre.

Utilisation : Poussant rapidement, il demande un sol riche, bien arrosé et une exposition semi-ombragée. Il gagne à être taillé périodiquement. On peut le cultiver en intérieur. Son nom viendrait de la ville de Jacobina située près de Bahia au Brésil.

Multiplication : Bouturage.

J. MAGNIFICA

Nom scientifique :
PACHYSTACHYS COCCINEA
JACOBINIA CARNEA

Nom vernaculaire :
PANACHE D'OFFICIER

Famille :
ACANTHACEES

Origine :
Brésil

Description : Ce petit arbuste, porte des épis terminaux composés de bractées imbriquées d'où sortent des fleurs écarlates. P. LUTEA, a des bractées jaune vif et de petites fleurs blanches.

Floraison :
Toute l'année.

Utilisation : Poussant rapidement, ils demandent un sol riche et bien arrosé et une exposition ensoleillée ou semi-ombragée. Ils gagnent à être taillés régulièrement. On peut les cultiver en intérieur.

Multiplication :
Bouturage.

T. ERECTA

P. COCCINEA

P. LUTEA

T. ERECTA

Nom scientifique :
THUNBERGIA ERECTA ▲

Nom vernaculaire :
GUEULE DE LOUP.

Famille :
ACANTHACEES

Origine :
Afrique.

Description : Ce petit arbuste ramifié porte de petites feuilles et de grandes fleurs violettes ou blanches à gorge jaune, en forme de cloche.

Floraison : Toute l'année

Utilisation : Peu difficile sur la nature du sol, il supporte la sécheresse et l'ombre mais pousse mieux en plein soleil et bien arrosé. On peut le tailler de temps en temps pour lui conserver une forme compacte.

Multiplication :
Bouturage ou semis.

Nom scientifique :
PSEUDERANTHEMUM ▶
   RETICULATUM

Nom vernaculaire :
PENSEE CREOLE

Famille :
ACANTHACEES

Origine :
Polynésie.

Description : Cet arbuste est surtout décoratif par ses jeunes feuilles jaunes et vertes. Les fleurs blanches à centre pourpre apparaissent en inflorescences terminales. P. ATRO-PURPUREUM a des feuilles marron et pourpres.

Floraison : Janvier à décembre.

Utilisation : Il demande un sol riche, profond, bien arrosé et une exposition ensoleillée ou semi-ombragée. Pour garder une forme harmonieuse il faut le tailler régulièrement.

Multiplication : Bouturage.

P. RETICULATUM

Nom scientifique :
SANCHEZIA NOBILIS ▶

Famille :
ACANTHACEES

Origine :
Equateur

Description : Ce petit arbuste porte des feuilles vert foncé veinées de blanc et des inflorescences terminales aux bractées pourpres et aux fleurs tubulaires jaunes.

Floraison :
Toute l'année.

Utilisation : Demandant un sol riche et bien arrosé, il supporte le soleil mais c'est sous une ombre légère que ses feuilles sont les plus belles. Il gagne à être taillé régulièrement.

Multiplication :
Bouturage à l'ombre.

S. NOBILIS

T. CORYMBOSA

Nom scientifique :
TABERNAEMONTANA CORONARIA ▼
ERVATAMIA CORONARIA, GARDENIA

Nom vernaculaire :
BOIS LAIT, JASMIN CAFE

Famille : APOCYNACEES

Origine : Inde.

Description : Cet arbuste ramifié porte des feuilles vertes, luisantes et des fleurs blanches, simples ou doubles très parfumées, regroupées en cimes axillaires ou terminales.

Floraison : Avril à octobre.

Utilisation : Peu difficile sur la nature du sol, il demande le plein soleil et des arrosages fréquents. On l'utilise pour faire des haies ou dans des massifs arbustifs. Toute la plante secrète un latex blanc toxique.

Multiplication : Bouturage.

T. CORONARIA

T. CORONARIA

Nom scientifique :
NERIUM OLEANDER ▶

Nom vernaculaire :
LAURIER ROSE, OLEANDRE

Famille :
APOCYNACEES

Origine :
Régions méditerranéennes.

Description : Cet arbuste aux feuilles lancéolées, raides, persistantes porte de grandes fleurs roses, rouges, jaunes ou blanches, simples ou doubles, très odorantes. Il en existe de nombreuses variétés horticoles.

Floraison : Toute l'année

Utilisation : Plante très résistante, elle supporte la sécheresse comme les sols plus humides, l'air salin, mais demande une exposition ensoleillée. On peut la cultiver jusque dans les zones septentrionales à climat doux. Toute la plante est très toxique.

Multiplication :
Bouturage.

N. OLEANDER

N. OLEANDER

C. PROCERA

Nom scientifique :
CALOTROPIS PROCERA ▶

Nom vernaculaire :
ARBRE DE SOIE

Famille :
ASCLEPIADACEES

Origine :
Inde

Description : Cet arbuste est remarquable par ses puissantes tiges et ses feuilles coriaces bleutées, à envers gris. Les fleurs lavande apparaissent en cymes terminales.

Floraison :
Janvier à décembre.

Utilisation : Il résiste parfaitement à la sécheresse, au vent et aux embruns marins. Ayant tendance à se dégarnir à la base, il gagne à être sévèrement rabattu tous les ans. Toute la plante exude un suc laiteux.

Multiplication :
Bouturage ou semis.

C. GRANDIFLORA

Nom scientifique :
CRYPTOSTEGIA GRANDIFLORA ▶

Nom vernaculaire :
ALLAMANDA POURPRE, LIANE DE GATORE

Famille :
ASCLEPIADACEES

Origine :
Mexique.

Description : Cet arbuste sarmenteux porte à l'aiselle de ses feuilles luisantes et coriaces de nombreuses fleurs roses lilacé. Toute la plante exude un abondant latex vénéneux.

Floraison : Toute l'année

Utilisation : Réclamant une exposition ensoleillée, peu exigeant en eau, il peut être utilisé non seulement pour garnir treillages et tonnelles, mais aussi, taillé, pour former un buisson ornemental.

Multiplication :
Marcottage, bouturage ou semis.

B. ORELLANA

Nom scientifique :
BIXA ORELLANA ▶

Nom vernaculaire :
ROUCOUYER

Famille :
BIXACEES

Origine :
Amérique tropicale

Description : Cet arbrisseau est décoratif par ses fleurs rosées en grappe
suivies de fruits poilus rouge brique
qui durent longtemps.

Utilisation : Il est peu difficile sur la
nature du sol et pousse rapidement.
Les Indiens tirent de la pulpe qui
entoure les graines un colorant rouge
dont ils s'enduisent le corps.

Multiplication : Semis, les jeunes plantes fleurissent dès la seconde année.

T. CAPENSIS

◀ Nom scientifique :
TECOMARIA CAPENSIS

Nom vernaculaire :
JASMIN TROMPETTE, CHEVRE-
FEUILLE DU CAP

Famille :
BIGNONIACEES

Origine :
Afrique du sud.

Description : Cet arbuste sarmenteux
porte des feuilles composées et des
fleurs oranges en trompette regroupées en inflorescences terminales.

Floraison :
Toute l'année.

Utilisation : Peu exigeant sur la nature
du sol on l'utilise pour couvrir les murs
ou taillé en massif.

Multiplication :
Bouturage, séparation des rejets.

Nom scientifique :
**RHODODENDRON
PHOENICEUM** ▶
RHODODENDRON INDICUM

Nom vernaculaire :
AZALEE

Famille : ERICACEES

Origine : Japon, Chine.

Description : Cet arbustre à petites
feuilles ovales persistantes, brillantes,
porte de grandes fleurs lilas, rouges
ou blanches. Il existe de nombreux
hybrides.

Floraison : Novembre à mai.

Utilisation : Demandant un sol riche
et bien arrosé, il se plaît en climat
subtropical humide, au soleil ou à mi-
ombre. Il forme de beaux massifs arbustifs mais pousse lentement. En
zone septentrionale on cultive ces
espèces comme plantes d'intérieur.

Multiplication : Bouturage, semis.

R. PHOENICEUM

R. PHOENICEUM

R. PHOENICEUM

E. PULCHERRIMA

E. PULCHERRIMA

E. LEUCOLCEPALA

Ph. François RUBEAUDEAU

Nom scientifique :
EUPHORBIA PULCHERRIMA

Nom vernaculaire :
POINSETTIA, SIX MOIS ROUGE, ETOILE DE NOEL

Famille : EUPHORBIACEES

Origine : Mexique.

Description : Cet arbuste aux brac-tées florales richement colorées de rouge, de rose ou de crème doit son nom créole de Six mois rouge à une longue floraison de six mois. C'est un arbuste dit « de jours courts » dont la floraison est induite par la durée du jour. E. LEUCOCEPHALA a de petites bractées crèmes qui couvrent entiè-rement l'arbuste.

Utilisation : On l'utilise pour faire des massifs et des haies fleuries qui gagnent à être taillés une ou deux fois après la floraison. On le cultive, nanifié comme plante d'appartement. Les tiges contiennent un suc laiteux toxique.

Multiplication : Bouturage.

Nom scientifique :
BREYNIA NIVOSA

Nom vernaculaire :
LA NEIGE, CARNAVAL DE VENISE

Famille :
EUPHORBIACEES

Origine :
Océanie

Description : Ce petit arbuste ramifié porte de petites feuilles bleutées ta-chetées de blanc ou de rose dans la variété « ROSEO-PICTA ». Les fleurs minuscules sont insignifiantes.

Utilisation : Poussant lentement, il s'adapte à n'importe quel sol et demande le plein soleil. Il faut le tailler régulièrement pour lui garder une forme harmonieuse.

Multiplication : Séparation des rejets, bouturage de racines.

B. NIVOSA

Nom scientifique :
CODIAEUM
VARIEGATUM
▶

Nom vernaculaire :
CROTON, QUI VIVRA VERRA

Famille :
EUPHORBIACEES

Origine :
Asie du Sud Est.

Description : Cet arbuste est surtout connu par ses nombreuses variétés horticoles au feuillage ayant les formes et les couleurs les plus variées : ondulé, frisé, ovale, denté, rouge, jaune, rose, blanc : les petites fleurs en épis terminaux sont assez insignifiantes. Toute la plante exude un latex abondant.

Utilisation : C'est une plante rustique mais qui préfère un sol riche et bien fumé, des arrosages réguliers et le plein soleil pour ne pas voir ses feuilles se décolorer et tomber. On l'utilise en massifs ou en haies en mélange. Il est cultivé aussi comme plante d'appartement.

Multiplication : Bouturage.

C VARIEGATUM

C. VARIEGATUM

Nom scientifique :
EUPHORBIA MILII ▶
EUPHORBIA SPLENDENS

Nom vernaculaire :
COURONNE D'ÉPINES, ÉPINE DU
CHRIST, GOUTTE DE SANG

Famille :
EUPHORBIACÉES

Origine : Madagascar

Description : Cet arbuste épineux porte de petites feuilles oblongues et des inflorescences terminales composées de petites fleurs jaunes et de grandes bractées charnues rouges ou roses.

Utilisation : Poussant lentement, il résiste fort bien dans les sols médiocres et en climat sec. On le cultive en extérieur, ou en intérieur comme plante en pot.

Multiplication : Bouturage.

E. MILII

C. VARIEGATUM

E. MILII

J. MULTIFIDA

J. INTEGERRIMA

J. INTEGERRIMA

Nom scientifique :
JATROPHA INTEGERRIMA
JATROPHA PANDURIFOLIA

Nom vernaculaire :
MEDECINIER, JATROPE

Famille :
EUPHORBIACEES

Origine :
Amérique tropicale.

Description : Les Jatropes sont des arbustes aux feuilles luisantes et aux petites fleurs rouges regroupées en inflorescences terminales. J. INTE-GERRIMA a des feuilles oblongues ou lobées et des fleurs rouge carmin. J. MULTIFIDA a de grandes feuilles palmées et des inflorescences rouge corail. J. PODAGRICA a des inflores-cences corail, de grandes feuilles gaufrées et une tige renflée à la base.

Floraison : Janvier à décembre

Utilisation : Ces plantes demandent de la chaleur et du soleil, supportent la sécheresse et les sols médiocres. Des graines, très toxiques, on tire une huile utilisé pour l'éclairage.

Multiplication :
Bouturage.

J. PODAGRICA

Nom scientifique :
RICINUS COMMUNIS ▶

Nom vernaculaire :
RICIN

Famille :
EUPHORBIACEES

Origine :
Afrique tropicale.

Description : Cette plante herbacée arbustive a des tiges rouges, de gran-des feuilles palmées vert bronze et des épis floraux terminaux rouge vif.

Floraison :
Janvier à décembre.

Utilisation : Elle résiste à la séche-resse et demande le plein soleil. Des graines vénéneuses, on tire une huile utilisée en médecine et dans l'indus-trie.

Multiplication :
Semis.

R. COMMUNIS

C. INDICA

Nom scientifique :
CAPPARIS INDICA

Nom vernaculaire :
BOIS PUANT

Famille :
CAPPARIDACEES

Origine :
Antilles

Description : Cet arbuste peu ramifié porte des rameaux anguleux écailleux et des fleurs blanches odorantes réunies en inflorescences terminales.

Floraison : Février à juin.

Utilisation : Résistant à la sécheresse et aux sols médiocres il demande une exposition ensoleillée. On peut l'utiliser dans des massifs arbustifs ou en haies sauvages.

Multiplication :
Semis.

I. FISTULOSA

Nom scientifique :
IPOMEA FISTULOSA ▶

Nom vernaculaire :
BOIS PATATE

Famille : CONVOLVULACEES

Origine : Amérique tropicale.

Description : Cet arbuste aux tiges et aux feuilles pubescentes porte de grandes fleurs en trompette rose lilacé regroupées en inflorescences axillaires.
I. ARBORESCENS plus grand, porte des fleurs blanches qui se ferment en début d'après-midi.

Floraison :
Toute l'année.

Utilisation : Peu difficile sur la nature du sol, il demande une exposition ensoleillée.

Multiplication : Semis.

Nom scientifique :
QUISQUALIS INDICA ▶

Nom vernaculaire :
CARACTERE DES HOMMES, LISE-
RON DES INDES

Famille :
COMBRETACEES

Origine :
Asie du Sud-Est

Description : Ce grand arbuste grimpant a des fleurs qui virent du blanc au
rouge à mesure que la floraison avan-
ce ; elle dégagent le soir une douce
odeur de pomme. Le feuillage persistant, brillant est abondant.

Floraison :
Mars à octobre.

Utilisation : Rustique, il apporte une
ombre appréciée sous portiques et
pergolas. Les graines sont toxiques.
Son nom lui viendrait de l'indécision
des botanistes quant à sa classifica-
tion (Quis ? Qualis ?)

Multiplication :
Semis, Bouturage ou marcottage.

Q. INDICA

Q. INDICA

B. PUNCTATA

Nom scientifique :
◀ **BAUHINIA PUNCTATA**
  BAUHINIA GALPINII

Nom vernaculaire :
ORGUEIL DU CAP

Famille :
LEGUMINEUSES

Origine :
Afrique du sud.

Description : Cet arbuste sarmenteux
a des feuilles cordiformes vert tendre
sur lesquelles se détachent de nombreuses inflorescences composées
de fleurs étoilées orange saumoné.

Floraison : Août à janvier.

Utilisation : Il demande une exposition chaude et ensoleillée et un sol
bien drainé. Assez lent à démarrer, il
s'étale ensuite largement et peut être
palissé sur un mur ou une barrière, ou
laissé librement taillé sur une pelouse.

Multiplication : Bouturage.

▼
Nom scientifique :
CAESALPINIA
PULCHERRIMA

Nom vernaculaire : PETIT FLAMBO-
YANT,   POINCIANA,   DOUDOU,
ORGUEIL DE CHINE.

Famille : LEGUMINEUSES

Origine : Madagascar.

Description : Cet arbuste épineux à
feuilles caduques porte des fleurs aux
pétales délicatement découpés, jaunes, oranges ou rouges et aux longues
étamines saillantes. C. GILLIESII cultivé en zone méditerranéenne à de
grandes fleurs jaunes regroupées en
épis avec de longues étamines rouges

Floraison : Toute l'année.

Utilisation : C'est une plante idéale
pour former des haies ou de vastes
massifs arbustifs au soleil. Son puissant système racinaire lui confère une
bonne résistance à la sécheresse et
aux sols les plus ingrats.

Multiplication : Semis.

C. PULCHERRIMA

C. PULCHERRIMA

C. HAEMATOCEPHALA

C. MARGINATA

C. HAEMATOCEPHALA

C. SURINAMENSIS

Nom scientifique :
CALLIANDRA SURINAMENSIS

Nom vernaculaire :
POMPON ROSE, POMPON DE MARIN

Famille :
LEGUMINEUSES

Origine :
Amérique tropicale.

Description : Les Calliandras sont des arbustes remarquables par leurs fleurs aux longues étamines en aigrette se détachant sur un élégant feuillage découpé. Suivant les espèces et les variétés les fleurs sont roses (C. SURINAMENSIS) rouges (C. HAEMATOCEPHALA) ou blanches.

Utilisation : Ils demandent un sol bien drainé et résistent à la sécheresse. Ils peuvent être taillés mais leur port naturel en ombrelle leur confrère une grâce naturelle.

Multiplication :
Semis, bouturage ou marcottage.

G. GLAUCA

Nom scientifique :
GALPHIMIA GLAUCA ▶
THRYALLIS GLAUCA

Nom vernaculaire :
RESEDA, PLUIE D'OR

Famille :
MALPIGHIACEES

Origine :
Mexique, Amérique Centrale.

Description : Cet arbuste buissonnant aux rameaux fins, rougeâtres
porte de petites feuilles lancéolées, et
des fleurs jaunes en étoiles regroupées en épis terminaux.

Floraison : Janvier à décembre.

Utilisation : Supportant les sols secs
et sablonneux, il demande le plein
soleil. Sa croissance est lente. Les
fleurs servent à la composition de
bouquets en Amérique Centrale.

Multiplication :
Semis ou bouturage.

G. GLAUCA

Nom scientifique :
HIBISCUS ROSA ▶
SINENSIS

Nom vernaculaire :
ROSE DE CHINE

Famille :
MALVACEES

Origine : Chine, Japon.

Description : Cette plante très popu-
laire porte de grandes fleurs rouges ou
roses à l'origine, avec un pistil et des
étamines saillantes. Par hybridation
on a obtenu des centaines de variétés
aux formes et aux couleurs diverses. H.
SCHIZOPETALUS, l'hibiscus royal,
arbuste plus érigé a de jolies fleurs
découpées, rouges, pendantes.

Floraison : Janvier à décembre

Utilisation : Peu difficile sur la nature
du sol, l'hibiscus demande une exposition ensoleillée, de la chaleur et
de copieux arrosages pour fleurir
abondemment. On le cultive aisément
en serre ou en appartement.

Multiplication : Bouturage.

G. STRICTIFLORA

G. STRICTIFLORA

Nom scientifique :
GOETHEA STRICTIFLORA

Famille :
MALVACEES

Origine : Brésil.

Description : Cet arbuste à tige ligneuse porte des fleurs aux bractées roses ou rouges disposées tout le long du tronc.

Floraison :
Janvier à décembre.

Utilisation : Demandant chaleur, humidité et une exposition ensoleillée ou semi-ombragée il peut être utilisé en massifs où sa base pourra être cachée par une plante tapissante.

Multiplication :
Bouturage.

H. ROSA SINENSIS

H. ROSA SINENSIS

H. ROSA SINENSIS

Suite   **HIBISCUS ROSA SINENSIS**

H. ROSA SINENSIS

H. SCHIZOPETALUS

H. ROSA SINENSIS

H. ROSA SINENSIS

H. ROSA SINENSIS

Suite   **HIBISCUS ROSA SINENSIS**

H. SCHIZOPETALUS

H. ROSA SINENSIS

Nom scientifique :
MEDINILLA MAGNIFICA

Famille :
MELASTOMACEES

Origine :
Philippines, Java.

Description : Ce petit arbuste à tige carrée porte d'épaisses feuilles vert foncé et de lourdes inflorescences terminales pendantes composées de grandes bractées roses axillant de nombreuses petites fleurs rose vif.

Floraison :
Mars à aout

Utilisation : Plante délicate, elle demande un sol riche, drainé, bien aéré, rosé et une exposition lumineuse, à l'abri des rayons directs du soleil. On peut la cultiver en intérieur ou plus au nord en serre chaude.

Multiplication :
Semis ou bouturage.

Nom scientifique :
MALVAVISCUS ARBOREUS ▶

Nom vernaculaire :
HIBISCUS   PIMENT,   HIBISCUS DORMANT

Famille :
MALVACEES

Origine :
Amérique tropicale.

Description : Cet arbuste érigé porte des feuilles lancéolées et de nombreuses fleurs pendantes rouges, roses, oranges ou blanches qui ne s'ouvrent qu'à moitié.

Floraison : Toute l'année

Utilisation : Croissant rapidement, il est peu difficile sur la nature du sol, mais les préfère enrichis en matière organique. Il demande le plein soleil. On l'utilise pour former des haies ou massifs arbustifs.

Multiplication :
Bouturage.

M. MAGNIFICA

M. ARBOREUS

M. MAGNIFICA

Nom scientifique :
TIBOUCHINA
SEMIDECANDRA ▶

Nom vernaculaire :
ARAIGNEE DU BRESIL

Famille : MELASTOMACEES

Origine : Brésil.

Description : Cet arbuste porte de grandes fleurs aux nervures saillantes et des fleurs violettes regroupées en inflorescences terminales. TIBOUCHINA URVILLEANA a des fleurs mauve foncé en inflorescences plus lâches.

Floraison : Janvier à décembre.

Utilisation : Demandant un sol riche et bien arrosé, il préfère une exposition ensoleillée ou semi-ombragée. On peut le cultiver jusqu'en régions méditerranéennes.

Multiplication : Bouturage.

T. URVILLEANA

T. SEMIDECANDRA

Nom scientifique :
PUNICA GRANATUM ▶

Nom vernaculaire :
GRENADIER

Famille :
PUNICACEES

Origine :
Asie, Europe.

Description : Cet arbuste à feuilles caduques vert pâle, brillantes, est réputé pour ses fleurs jaunes ou rouges, simples ou doubles et ses gros fruits dont les graines sont entourées d'une pulpe juteuse. Il en existe une variété naine.

Floraison :
Janvier à décembre.

Utilisation : Il demande le plein soleil, une chaleur sèche, un sol riche et bien drainé. C'est un arbuste rustique jusqu'en zone méditerranéenne et qui peut vivre très vieux. On déguste ses fruits frais ou en confiture.

Multiplication :
Semis, bouturage, marcottage ou greffage pour les variétés fruitières.

P. AURICULATA

Nom scientifique :
PLUMBAGO AURICULATA
PLUMBAGO CAPENSIS

Nom vernaculaire :
DENTELAIRE DU CAP

Famille : PLUMBAGINACEES

Origine : Afrique du Sud

Description : Cet arbuste grimpant, aux tiges grêles, se pare toute l'année de larges ombelles de fleurs délicates bleu porcelaine ou blanches. Les feuilles sont d'un joli coloris vert tendre. P. INDICA de plus faible vigueur a de fines et longues inflorescences rouges.

Floraison : Janvier à décembre

Utilisation : Il supporte la sécheresse et le plein soleil comme la semi-ombre. Il forme de jolies bordures fleuries et couvre murets et clôtures. On le cultive en zone méditerranéennes au pied d'un mur exposé au Sud. La racine était utilisé contre le mal de dents.

Multiplication : Bouturage.

P. AURICULATA

P. GRANATUM

Nom scientifique :
COFFEA ARABICA ▶

Nom vernaculaire :
CAFEIER

Famille :
RUBIACEES

Origine :
Ethiopie

Description : Cet arbuste porte des feuilles vert sombre aux nervures saillantes et de petites fleurs blanches très odorantes regroupées le long des rameaux. Elles sont suivies de fruits charnus rouges à maturité.

Floraison :
Mai à septembre

Utilisation : Demandant un sol riche, fertile et bien arrosé, il peut constituer des haies décoratives. Mais il est surtout utilisé pour la production des grains de café qui sont les fruits cueillis mûrs, séchés puis torréfiés.

Multiplication :
Semis, bouturage.

C. ARABICA

C. ARABICA

G. TAMITENSIS

Nom scientifique :
GARDENIA TAMITENSIS

Nom vernaculaire : TIARÉ

Famille : RUBIACEES

Origine : Océanie.

Description : Cet arbrisseau au feuillage coriace vert foncé, a de grandes fleurs simples, blanches très parfumées. Voisins, JASMINOIDES, le Jasmin du Cap, a des fleurs simples ou doubles, crème.

Floraison : Janvier à juin.

Utilisation : Il demande un sol acide, riche, un climat chaud et humide. Ses fleurs, mêlées à celles du frangipanier servent à faire des colliers et couronnes de fleurs en Océanie. On peut cultiver les gardenias en serre chaude

Multiplication :
Bouturage.

I. COCCINEA

IXORA

I. CHINENSIS

I. ACUMINATA

Nom scientifique :
IXORA COCCINEA
Nom vernaculaire :
CORAIL

Famille :
RUBIACEES

Origine :
Inde, Chine.

Description : Ce petit arbuste aux feuilles persistantes coriaces porte des fleurs tubulaires rouge corail réunies en grosses inflorescences terminales. Parmi les autres nombreuses espèces, I. ODORATA a des fleurs, rose pâle délicatement parfumées, I. CHINENSIS est à l'origine de nombreuses variétés à fleurs roses, jaunes, oranges ou saumonées.

Floraison :
Toute l'année.

Utilisation : Les IXORAS demandent un sol fertile, bien drainé et une exposition ensoleillée. Leur croissance est rapide. On peut les cultiver en serre chaude. Leurs fleurs servent à l'offrande à une idole de la côte de Malabar (Inde) nommée IXORA.

Multiplication :
Semis, bouturage.

I. COCCINEA

M. ROSEA

M. ERITHROPHYLLA

M. ROSEA

Nom scientifique :

MUSSAENDA ERYTHROPHYLLA

Nom vernaculaire :
SANG DES ACHANTI

Famille :
RUBIACEES

Origine :
Afrique tropicale

Description : Cet arbuste ramifié, tomenteux porte des fleurs possédant un grand sépalerouge, regroupées en inflorescences terminales. Il en existe des variétés roses et blanches.

Floraison : Octobre à mars.

Utilisation : Il demande un sol riche, bien drainé et une exposition ensoleillée. Son nom vient d'un peuple ghanéen, les Achantis, fondateurs d'un puissant royaume au XVIIIème siècle.

Multiplication :
Bouturage

Nom scientifique :
BRUNFELSIA
AMERICANA

Nom vernaculaire :
GALANT DE NUIT, DAME DE LA NUIT

Famille :
SOLANACEES

Origine :
Amérique tropicale

Description : Sur de longues tiges aux feuilles ovales, vernissées, apparaissent des bouquets de fleurs ivoire, en trompette qui dégagent le soir une enivrante odeur épicée ; elle sont suivies de jolis baies orangées. B. PAUCIFLORA a de grandes fleurs lavande qui ont malheureusement tendance à rouiller à la moindre pluie.

Utilisation : Ils supportent la semi-ombre, demandent des arrosages réguliers et un sol riche. Le parfum et la grâce du galant de nuit sont appréciés à proximité d'un patio ou d'une terrasse où ses grandes branches peuvent être polissées.

Multiplication :
Semis ou bouturage.

B. PAUCIFLORA

B. AMERICANA

D. ROSEA

D. ARBOREA

Nom scientifique :
**CLERODENDRON
  THOMSONIAE** ▶

Nom vernaculaire :
CŒUR DE MARIE

Famille :
VERBENACEES

Origine :
Afrique occidentale

Description : Ce petit arbuste sarmenteux a des fleurs nombreuses composées d'un calice renflé blanc, qui vire au pourpre et persiste longtemps, d'où sort une corolle rouge vermillon et quatre étamines incurvées.

Floraison :
Février à octobre.

Utilisation : Il réclame une exposition ensoleillée un sol riche et gagne à être taillé après la floraison. Son petit développement le réserve aux clôtures basses, aux porches ou à la confection de potées.

Multiplication :
Bouturage ou division de touffes.

D. ROSEA

D. INNOXIA

Nom scientifique :
DATURA ARBOREA

Nom vernaculaire :
DATURA, TROMPETTE DU JUGE-MENT DERNIER

Famille :
SOLANACEES

Origine :
Amérique tropicale.

Description : Ce sont de petits arbris-seaux étalés aux fleurs pendantes en trompette blanches, roses, simples ou doubles. Parmi eux, D. ARBOREA et D. CANDIDA ont de grandes fleurs, blanches aux pétales en pointe déli-catement parfumées. D. SANGUINEA a des fleurs du plus beau rouge.

Utilisation : Ce sont des plantes qui demandent du soleil et de bons arro-sages. On peut les cultiver jusqu'en zone méditerranéenne. Toute la plante est toxique.

Multiplication :
Semis, bouturage.

C. THOMSONAE

C. THOMSONAE

C. INDICUM

C. FRAGRANS

C. PANICULATUM

Nom scientifique :
CLERODENDRON PANICULATUM

Nom vernaculaire :
ARBRE PAGODE

Famille :
VERBENACEES

Origine :
Asie du Sud-Est

Description : Cet arbuste érigé a de grandes feuilles lustrées vert sombre, au-dessus desquelles, s'élèvent de grands panicules de fleurs écarlates aux étamines saillantes. C. SPECIO-SISSIMUM a des inflorescnces semblables rouge fuchsia.

Floraison :
De janvier à décembre.

Utilisation : Ces plantes demandent un sol riche, humide et une ombre légère.

Multiplication :
Bouturage.

Nom scientifique :
DURANTA REPENS ▶

Nom vernaculaire :
VANILLER DE CAYENNE

Famille :
VERBENACEES

Origine :
Amérique tropicale.

Description : Cet arbuste touffu porte de longues branches arquées, épineuses et un feuillage finement découpé sur lequel se détachent de petites fleurs lilas rassemblées en longs racèmes. Elles sont suivies par des baies orangées qui durent longtemps.

Utilisation : Il supporte un sol pauvre et sec et doit être taillé régulièrement. Les baies sont toxiques pour l'homme mais non pour les oiseaux qui s'en régalent.

Multiplication :
Semis ou bouturage.

D. REPENS

Nom scientifique :
HOLMSKOLDIA SANGUINEA

Nom vernaculaire :
CHAPEAU CHINOIS

Famille :
VERBENACEES

Origine :
Himalaya

Description : Ce grand arbuste aux longs rameaux flexueux porte des fleurs au calice en coupelle rouge ou jaune et à la corolle en tube ; elles apparaissent en cimes terminales.

Floraison :
Toute l'année.

Utilisation : Peu exigeant sur la nature du sol il supporte une ombre légère mais ses couleurs sont plus éclatantes en plein soleil. Taillé une fois par an, il permet de composer des massifs ou des haies. Ses longs rameaux peuvent être palissées.

Multiplication :
Bouturage, marcottage ou séparation des rejets.

H. SANGUINEA

H. SANGUINEA

Nom scientifique :
LEEA RUBRA
LEEA COCCINEA

Famille :
VITACEES

Origine :
Birmanie

Description : Cet arbuste porte des feuilles composées persistantes et des cimes terminales composées de nombreuses petites fleurs roses suivies de fruits rouge écarlate.

Utilisation : Fleurissant dès son plus jeune âge, il préfère un sol riche et bien arrosé. On peut le cultiver en intérieur.

Multiplication :
Semis.

L RUBRA

L'impression de luxuriance propre aux régions tropicales est en grande partie donnée par les nombreuses lianes puissantes (certaines comme le Thunbergia grandiflora pouvant atteindre 20 m de haut) qui grimpent à l'assaut des plus grands arbres et laissent pendre d'imposantes tiges ou racines aériennes formant de somptueuses draperies.
Aprivoisées, elles sont la fierté des jardins, terrasses et pergolas où elles abritent d'un soleil brûlant et cachent des regards indiscrets.

Les Plantes Grimpantes
Sarmenteuses et les Lianes

T. GRANDIFLORA ALBA

T. GIBSONII

Nom scientifique :
THUNBERGIA GRANDIFLORA
Nom vernaculaire :
LIANE FLEUR VIOLETTE, LIANE DE CHINE

Famille :
ACANTHACEES

Origine : BENGALE

Description : Cette vigoureuse liane porte des fleu[rs]
à grandes corolles lavande à gorge jaune. Elle form[e]
des draperies sur les murs ou les vieux arbres.
THUNBERGIA ALATA : fleur jaune savane ou suzan[ne]
ne aux yeux noirs, liane de dimension plus modeste
des fleurs orangées à cœur noir.
THUNBERGIA MYSORENSIS a de longues inflo[-]
rescences pendantes aux fleurs jaunes et marron.

Floraison : Janvier à décembre.

Utilisation : Peu difficiles sur la nature du sol e[t]
l'exposition ils garnissent rapidement clôtures e[t]
pergolas. On peut les tailler sévèrement une fois pa[r]
an THUNGERGIA ALATA se cultive en annuelle e[n]
zone septentrionale.

Multiplication : Bouturage ou semis.

T. GRANDIFLORA

T. MYSORENSIS

T. GRANDIFLORA

T. MYSORENSIS

T. ALATA

A. COROMANDELIANA

A. COROMANDELIANA

Nom scientifique :
ALLAMANDA
CATHARTICA ▶

Nom vernaculaire :
LIANE A LAIT, MONETTE JAUNE

Famille :
APOCYNACEES

Origine :
Amérique tropicale

Description : Cette plante grimpante ligneuse a des feuilles persistantes luisantes et de grandes fleurs jaunes en cloche. Il existe différentes variétés dont une aux boutons bronze A. HENDERSONII. A. VIOLACEA a des fleurs pourpres, des feuilles duveteuses et une croissance plus lente.

Floraison :
Janvier à décembre.

Utilisation : Rustique et indifférente au sol et au climat elle garnit admirablement clôtures et pergolas en plein soleil. Taillée, elle constitue d'élégant massifs arbustifs. Les tiges contiennent un suc laiteux toxique. On la cultive comme plante de serre en zone septentrionale.

Multiplication :
Bouturage, greffage sur A. CATHARTICA pour A. VIOLACEA.

A. VIOLACEA

Nom scientifique :
ASYSTASIA
COROMANDELIANA
ASYSTASIA GANGETICA

Nom vernaculaire :
THUNBERGIA RAMPANT

Famille :
ACANTHACEES

Origine :
Malaisie

Description : Naturalisée en de nombreux terrains vagues sous les tropiques, cette petite plante herbacée a de longues pousses aux feuilles vert tendre et aux petites fleurs tubulaires crême ou lavande.

Floraison :
Janvier à décembre.

Utilisation : Peu exigeante sur la nature du sol et supportant une ombre légère, on l'utilise pour garnir treillages et clôtures et comme couvre-sol devant les massifs arbustifs.

Multiplication :
Bouturage et marcottage.

A. ELEGANS

A. CATHARTICA

Nom scientifique :
ARISTOLOCHIA ELEGANS

Nom vernaculaire :
ARISTOLOCHE, LIANE SERPENT

Famille :
ARISTOLOCHIACEES

Origine :
Brésil.

Description : Cette liane a des feuilles cordiformes et de grandes fleurs ivoires marbrées en forme de pipe ou de capuchon.

Floraison : Janvier à décembre

Utilisation : Elle demande une exposition ensoleillée ou semi-ombragée et une bonne humidité de l'air et du sol. Elle recouvre rapidement porches, murs et pergolas.

Multiplication :
Semis ou bouturage.

Nom scientifique :

MANDEVILLA SPLENDENS

DIPLADENIA SPLENDENS

Nom vernaculaire :
FAUX ALLAMANDA

Famille :
APOCYNACEES

Description : Cette liane porte de jolies feuilles vert foncé lustrées et de grandes fleurs roses en trompette. Il en existe de beaux hybrides dont : A. X AMABILIS ALICE DUPONT, A. LAXA, le Jasmin du Chili a des fleurs blanches.

Floraison : Mars à novembre.

Utilisation : Demandant un sol bien drainé, elle pousse à exposition ensoleillée et bien arrosée. On l'utilise pour garnir treillages, pergolas et suspensions.

Multiplication :
Bouturage, semis.

M. SPLENDENS

B. GRANDIFLORA

H. CARNOSA

Nom scientifique :

HOYA CARNOSA

Nom vernaculaire :
FLEUR DE CIRE, LIANE DE PORCELAINE

Famille : ASCLEPIADACEES

Origine : Australie.

Description : Cette petite liane porte de curieuses fleurs en étoile, cireuses, odorantes, blanches à rose chair, regroupées en ombelles. Elle développe entièrement ses tiges avant l'apparition du feuillage charnu persistant. Elle s'accroche à son support par des racines aériennes.

Floraison : Mars à octobre.

Utilisation : N'aimant ni les sols acides, ni l'eau stagnante, elle se complaît en terre riche et légère. Elle supporte la semi-ombre. Sa faible vigueur la réserve aux suspensions et à la culture en intérieur.

Multiplication :
Bouturage ou marcottage.

Nom scientifique :

BEAUMONTIA GRANDIFLORA

Nom vernaculaire :
TROMPETTE DES ANGES

Famille : APOCYNACEES

Origine : Inde.

Description : Cette vigoureuse plante grimpante ligneuse se remarque par ses grandes fleurs blanches en cloche, réunies en inflorescences qui se détachent sur d'épaisses feuilles vernissées.

Floraison : Janvier à avril.

Utilisation : Elles demande de l'espace, un solide support pour se développer, une exposition ensoleillée, un sol riche et bien drainé. Il est préférable de la tailler après la floraison.

Multiplication : Semis ou bouturage de tiges ou de racines.

Nom scientifique :

STEPHANOTIS FLORIBUNDA

Nom vernaculaire :
JASMIN DE MADAGASCAR

Famille : ASCLEPIADACEES

Description : Cette petite liane volubile possède un feuillage vernissé et de petites fleurs blanches cireuses en étoile, délicieusement parfumées.

Floraison : Avril à septembre.

Utilisation : Elle demande un sol riche, une atmosphère chaude et humide et supporte un ombrage léger. Sa petite taille la désigne pour garnir colonnes et suspensions en extérieur ou en appartements. Ses fleurs sont recherchées par les fleuristes.

Multiplication : Semis, bouturage ou marcottage.

S. FLORIBUNDA

Nom scientifique :

PODRANEA
RICASOLIANA

Nom vernaculaire : LIANE ORCHI-
DEE, BIGNONE ROSE, GLYCERINE

Famille : BIGNONIACEES

Origine : Afrique du Sud.

Description : Cette vigoureuse liane a
des feuilles composées dentées et
des fleurs roses à cœur jaune rayé de
rouge et à bords crénelés.

Floraison : Septembre à juin.

Utilisation : Demandant une exposition ensoleillée et un sol riche elle
recouvrira rapidement son support de
sa végétation luxuriante. La taille
s'effectue après la floraison.

Multiplication : Semis ou marcottage
(les branches touchant le sol s'enra-
cinent spontanément).

Nom scientifique :

PYROSTEGIA VENUSTA
BIGNONIA IGNEA

Nom vernaculaire :
LIANE DE FEU, LIANE AURORE

Famille :
BIGNONIACEES

Origine :
Brésil.

Description : Les fleurs tubulaires
orange vif de cette remarquable liane
s'épanouissent en inflorescences
fournies sur un beau feuillage vernissé décoratif toute l'année.

Floraison : Décembre à mars.

Utilisation : Croissant lentement, elle
demande du soleil et se plaît sur un
mur ou un toit orienté au Sud. Elle est
exigeante en eau et en engrais. La
taille, légère, sera effectuée à la saison
chaude.

Multiplication :
Bouturage.

P. RICASOLIANA

P. VENUSTA

S. MAGNIFICA

om scientifique :

ARITEA MAGNIFICA ▲

om vernaculaire : BIGNONE

mille : BIGNONIACEES

gine : Colombie

scription : Cette vigoureuse plante
ubile étend ses draperies de fleurs
ulaires lilas sur un joli feuillage
mposé vernissé.

raison : Octobre à avril.

lisation : Demandant beaucoup
space, elle recouvre rapidement
tures tonnelles et vieux troncs. Elle
t peu difficile sur la nature du sol
is réclame une exposition ensoleil-
.

ultiplication : Bouturage ou marcot-
ge.

om scientifique :

**ONICERA
HILDEBRANDIANA** ▶

om vernaculaire :
HEVREFEUILLE

mille : CAPRIFOLIACEES

gine : Birmanie.

scription : Les fleurs blanc-crème,
rfumées de ce chèvrefeuille sont les
us grandes du genre. Elles se dé-
chent sur un feuillage vernissé,
coratif toute l'année;

raison : Janvier à décembre.

lisation : C'est une liane volubile
s vigoureuse qui peut atteindre
squ'à 20 mètres de haut. Une taille
gulière lui évitera de se dégarnir à la
se. Elle préfère un sol frais et bien
ainé et peut être cultivée jusqu'en
ne méditerranéenne.

ultiplication : Semis ou bouturage.

L HILDEBRANDIANA

Nom scientifique :
COMBRETUM
FRUTICOSUM
▶

Famille :
COMBRETACEES

Origine :
Amérique tropicale.

Description : Les nombreuses fleurs orangées regroupées en longues inflorescences sont caractéristiques de cet arbuste sarmenteux.

Floraison : Février à avril.

Utilisation : Demandant peu de soins il pousse en plein soleil et garnit barrières et treillages.

Multiplication :
Semis et bouturage.

C. FRUTICOSUM

C. FRUTICOSUM

Nom scientifique :
SENECIO CONFUSUS ▶

Nom vernaculaire :
MARGUERITE A TONNELLES

Famille :
COMPOSEES

Origine :
Mexique

Description : Cette liane vigoureuse se couvre d'inflorescences orange vif à cœur jaune suivies de fruits en aigrettes blanches. Son feuillage persistant, vernissé, découpé est très décoratif.

Floraison :
Mars à décembre.

Utilisation : Amateur de sécheresse et de soleil, elle résiste bien en bord de mer, et elle est peu sensible aux insectes et maladies. Après la fructification, elle gagne à être sévèrement rabattue.

Multiplication :
Semis, bouturage ou marcottage.

A. NERVOSA

S. CONFUSUS

Nom scientifique : ▲
ARGYREIA NERVOSA

Nom vernaculaire :
LIANE D'ARGENT

Famille : CONVOLVULACEES

Origine : Inde.

Description : Cette liane vigoureuse est caractéristique par ses grandes feuilles cordiformes, persistantes, dont la face inférieure est recouverte d'un fin duvet argenté. Les grandes fleurs ont une corolle rose pourpre à l'extérieur et blanche à l'intérieur. Elles sont suivies de fruits marrons, très décoratifs.

Floraison : Juin à novembre.

Utilisation : Elle nécessite beaucoup d'espace et préfère une situation semi-ombragée et humide.

Multiplication : Semis ou bouturage.

Nom scientifique :
IPOMEA PURPUREA

Nom vernaculaire :
LISERON BLEU, VOLUBILIS

Famille : CONVOLVULACEES

Origine : Amérique tropicale.

Description : Cette plante grimpante porte de grandes fleurs en cloches pourpre-bleuté qui se ferment en début d'après-midi. Parmi les nombreuses espèces d'Ipomées citons I. TUBEROSA, la Rose de Bois, à fleurs jaunes et aux fruits secs très décoratifs

Floraison : Toute l'année.

Utilisation : Peu difficiles sur la nature du sol et demandant une exposition ensoleillée elle pousse vite et garnit rapidement treillages et tonnelles. Les tubercules de certaines espèces sont comestibles.

Multiplication : Semis.

I. SETIFORA

I. UMBELLATA

I. PURPUREA

I. FISTULOSA

Nom scientifique :
PORANA PANICULATA ▶

Nom vernaculaire :
MUGUET

Famille :
Inde

Description : Cette vigoureuse plante volubile est remarquable par ses nombreuses petites fleurs blanches réunies en panicules qui forment des draperies sur son feuillage cordiforme légèrement velu.

Floraison : Novembre à février.

Utilisation : Elle est peu difficile sur la nature du sol, l'exposition et la sécheresse et peu sensible aux maladies. Sa vigueur la recommande pour tonelles, treillages ou vieux arbres en arrière plan à cause de sa courte floraison.

Multiplication :
Bouturage ou semis.

P. PANICULATA

C. TERNATEA

Nom scientifique :
AESCHYNANTUS LOBBIANUS

Famille :
GESNERIACEES

Origine :
Asie tropicale, Indonésie.

Description : Cette petite liane épiphyte porte d'épaisses feuilles lancéolées et des inflorescences terminales dont les fleurs sont composées d'un calice en coupelle et d'une corolle à deux lèvres, poilue, rouge écarlate.

Floraison : Janvier à décembre

Utilisation : Sa petite taille la réserve aux suspensions sur terrasses et pergolas ou en intérieur. Elle demande une terre poreuse et une bonne humidité de l'air et du sol.

Multiplication : Bouturage ou semis.

Nom scientifique :
CLITOREA TERNATEA

Nom vernaculaire : POIS SAVANE

Famille : LEGUMINEUSES

Origine : Inde.

Description : Cette plante grimpante volubile est devenue pantropicale. Ses fleurs solitaires papillonacées sont d'un riche bleu indigo. Il en existe des variétés à fleurs blanches ou bleu ciel, simples ou doubles.

Floraison : Toute l'année

Utilisation : Sa croissance rapide la réserve aux nouveaux jardins où elle se développe rapidement. Peu sensible à la nature du sol et à l'exposition, elle doit être renouvelée fréquemment, sa durée de vie étant assez brève. Les fleurs, utilisées en bouquet durent longtemps.

Multiplication : Semis.

Nom scientifique :
MUCUNA NOVO-GUINEENSIS

Nom vernaculaire :
GRIFFE DU DIABLE

Famille : LEGUMINEUSES

Origine : Nouvelle-Guinée

Description : Cette liane vigoureuse a de grandes inflorescences de fleurs papillonacées rouge vermillon qui apparaissent sur le vieux bois et se détachent sur un feuillage vernissé. M. URENS, le Z'yeux Bourrique, originaire des Antilles a des inflorescences plus petites et des fleurs jaunes.

Floraison : Janvier à mars.

Utilisation : Elle demande un solide support, une bonne humidité atmosphérique et un sol riche. Elle supporte une semi-ombre

Multiplication : Bouturage ou marcottage.

A. LOBBIANUS

Nom scientifique :
ALLOPLECTUS CRISTATUS
COLUMNEA CHRISTATA ▶

Nom vernaculaire :
FUCHSIA, CRETE A COQ

Famille : GESNERIACEES

Origine :
Antilles

Description : Cette petite liane est remarquable par son calice rouge qui persiste longtemps après la chute de la corolle, jaune pâle. Les feuilles épaisses, duveteuses sont argentées à l'envers.

Floraison :
Janvier à décembre.

Utilisation : Elle demande chaleur et humidité et supporte une exposition ombragée.

Multiplication :
Bouturage ou marcottage.

A. CRISTATUS

M. URENS

M. NOVO-GUINEENSIS

S. MACROBOTRYS

S. MACROBOTRYS

Nom scientifique :

STRONGYLODON MACROBOTRYS

Nom vernaculaire : LIANE DE JADE

Famille : LEGUMINEUSES

Origine : Philippines

Description : Cette vigoureuse liane volu[...] possède de magnifiques inflorescen[...] pendantes, pouvant atteindre 90 cm de lo[...] aux fleurs en bec recourbé vert turquo[...] couleur unique dans le règne végétal. [...] feuillage composé, vernissé est égalem[...] décoratif.

Floraison : Février à aôut.

Utilisation : Elle est de culture délicate[...] demande un sol riche, de la chaleur, [...] l'humidité et un solide support.

Multiplication : Semis ou marcottage.

G. SUPERBA

Nom scientifique :
STIGMAPHYLLON CILIATUM ▶

Nom vernaculaire :
LIANE A RAVETS

Famille :
MALPIGHIACEES

Origine :
Antilles

Description : Cette petite liane porte des fleurs jaunes frangées qui se détachent sur un feuillage brillant. La floraison, éphémère se renouvelle toute l'année.

Floraison :
Toute l'année.

Utilisation : Elle supporte la sécheresse et les embruns. Elle gagne à être taillée après la floraison.

Multiplication :
Bouturage ou semis.

S. CILIATUM

Nom scientifique :
GLORIOSA SUPERBA

Nom vernaculaire :
LIS BEGUIN

Famille :
LILIACEES

Origine :
Afrique.

Description : Cette liane tubéreuse a des fleurs inhabituelles en forme de parasol retourné, écarlates, ourlées de jaune, le pistil et les étamines saillantes. Les feuilles vernissées sont terminées par une vrille permettant à la plante de se fixer sur son support.

Floraison : Avril à octobre

Utilisation : Elle demande beaucoup de chaleur et d'humidité. On peut la cultiver en régions septentrionales à condition de rentrer le tubercule au sec pendant l'hiver. Le tubercule est très toxique.

Multiplication :
Semis ou séparation des tubercules néoformés.

S. CILIATUM

Nom scientifique :
BOUGAINVILLEA GLABRA
BOUGAINVILLEA SPECTABILIS

Nom vernaculaire :
BOUGAINVILLEE

Famille :
NYCTAGINACEES

Origine :
Brésil d'où elle a été apportée en 1768 par Louis de Bougainville.

Description : Cette plante sarmenteuse, épineuse est caractéristique par ses petites fleurs crèmes entourées de bractées richement colorées, simples ou doubles, offrant une palette allant du blanc au mauve en passant par toute les nuances de rouge, de rose ou d'orange. Certaines variétés ont un feuillage panaché.

Floraison :
Janvier à décembre.

Utilisation : Elle demande une exposition chaude et ensoleillée et se contente de sols médiocres. Elle convient pour garnir murs, treillages et pergolas ; taillée elle permet de réaliser des haies impénétrables.

Multiplication :
Bouturage.

B. GLABRA

B. SPECTABILIS

B. SPECTABILIS

J. GRANDIFLORUM

J. NITIDUM

Nom scientifique :
JASMINUM
GRANDIFLORUM
JASMINUM OFFICINALE

Nom vernaculaire :
JASMIN DES POETES

Famille : OLEACEES

Origine : Chine.

Description : Le Jasmin embaume le jardin le soir de ses petites fleurs tubulaires blanches très parfumées. Son feuillage est fin et découpé, son tronc noueux à l'âge adulte. J. MULTIFLORUM a des fleurs étoilées re groupées en inflorescences termi nales et un joli feuillage vernissé J. HUMILE (REVOLUTUM) a des fleurs jaunes.

Floraison : Mai à octobre.

Utilisation : Rustique, il garnit mer veilleusement les tonnelles. Il perd parfois ses feuilles par temps trop sec ou trop humide.

Multiplication :
Bouturage ou marcottage.

J. OFFICINALE

J. MULTIFLORUM

Nom scientifique :
PASSIFLORA COCCINEA

Nom vernaculaire :
PASSIFLORE, FRUIT DE LA PAS-
SION, POMME-LIANE, MARACUDJA

Famille :
PASSIFLORACEES

Origine :
Amérique du Sud.

Description : Riche de 400 espèces, la
Passiflore doit son nom à la forme de
sa fleur sensée représenter la passion
du christ. PASSIFLORA COCCINEA a
des fleurs rouges vif se détachant sur
un feuillage à cinq lobes.

Floraison :
Janvier à juin.

Utilisation : Ce sont des lianes volu-
biles rigoureuses idéales pour garnir
tonnelles et pergolas. Elles préfèrent

P. LAURIFOLIA

P. EDULIS

un climat chaud et humide, une exposition ensoleillée et gagnent à être
taillées après la floraison. La plupart
des Passiflores donnent des fruits
ovoïdes comestibles composés d'une
gelée (arille) entourant de nombreux
pépins. On en fait d'excellents jus et
confitures. Les plus goûtées sont la
Maracudja (PASSIFLORA EDULIS) et
la Barbadine (PASSIFLORA QUA-
DRANGULARIS).

Multiplication :
Semis ou bouturage.

P. COCCINEA

Nom scientifique :
ANTIGONON LEPTOPUS▶

Nom vernaculaire :
LIANE CORAIL, LA BELLE MEXI-
CAINE, CORALITA.

Famille :
POLYGONACEES

Origine :
Mexique.

Description : Cette liane volubile forme des guirlandes de petites fleurs
roses, plus rarement rouges ou blanches sur les clôtures ou les vieux
arbres où elle s'est souvent naturalisée.

Floraison : Janvier à décembre.

Utilisation : Amateur de soleil de chaleur et d'humidité, elle demande un sol
riche pour fleurir abondamment. Elle
gagne à être sévèrement rabattue
après la floraison. Au Mexique, les
tubercules sont réputés comestibles.

Multiplication :
Semis ou division des tubercules.

A. LEPTOPUS

A. LEPTOPUS

R. EQUISETIFORMIS

Nom scientifique :
RUSSELIA EQUISETIFORMIS

Nom vernaculaire :
GOUTTE DE SANG, QUEUE DE CHEVAL, CLOCHE DE CORNEVILLE.

Famille :
SCROPHULARIACEES

Origine :
Mexique

Description : Cette étonnante plante aux longs rameaux flexueux, quadrangulaires, aux petites feuilles en écailles, a des fleurs tubulaires rouge corail.

Floraison :
Décembre à septembre.

Utilisation : Elle résiste à la sécheresse, au soleil et au vent mais préfère un climat humide. Elle est idéale pour retomber d'un talus ou d'un muret, mais peut aussi à l'aide d'un support former de jolies haies. Elle est cultivable en pleine terre en zone méditerranéenne.

Multiplication :
Bouturage, marcottage ou division de touffe.

R. EQUISETIFORMIS

Nom scientifique :
SOLANDRA NITIDA

Nom vernaculaire :
LIANE TROMPETTE JAUNE

Famille : SOLANACEES

Origine : Mexique.

Description : Cette plante grimpante ligneuse porte des feuilles persistantes brillantes, de nombreuses racines aériennes et de grandes fleurs en cloche jaune clair.

Floraison : Octobre à mars

Utilisation : Très vigoureuse, elle demande beaucoup d'espace, une importante humidité atmosphérique et le plein soleil mais se contente d'un sol médiocre.

Multiplication : Bouturage. ▶

Nom scientifique :
CONGEA TOMENTOSA

Nom vernaculaire :
PLUIE D'ORCHIDEES

Famille : VERBENACEES

Origine : Asie du Sud-Est.

Description : Cette robuste plante grimpante, pubescente se couvre de nombreuses petites fleurs blanches entourées de bractées rose lilacé, regroupées en lourdes inflorescences qui durent longtemps.

Floraison : Février à mai.

Utilisation : Elle demande une situation ensoleillée, et beaucoup d'espace. Une taille sévère est nécessaire après la floraison. Très résistante, elle peut être cultivée jusqu'en climat méditerranéen.

Multiplication : Bouturage. ▼

S. NITIDA

C. TOMENTOSA

P. VOLUBILIS

P. VOLUBILIS

Nom scientifique :
PETREA VOLUBILIS
Nom vernaculaire : LIANE RUDE,
LIANE VIOLETTE, LIANE DE ST-JEAN

Famille : VERBENACEES

Origine : Amérique tropicale.

Description : Cette vigoureuse liane
ligneuse présente une feuillage raide
et rugueux et des grappes de fleurs
dont les calices bleu lavande durent
longtemps après la chute de la corolle
pourpre.

Floraison : Janvier à octobre.

Utilisation : Elle demande le plein
soleil et résiste à la sécheresse.
Parfaite pour orner pilastres et pergolas, sa couleur s'harmonise avec le
jaune des allamandas et le pourpre
des bougainvillées.

Multiplication :
Bouturage ou marcottage.

Nom scientifique :
GMELINA HYSTRIX
GMELINA PHILIPPENSIS

Nom vernaculaire :
SOUSOU

Famille : VERBENACEES

Origine : Philippines, Indonésie

Description : Cette vigoureuse liane
ligneuse a des branches recouvertes
de petites écailles marrons et de
longues inflorescences pendantes
formées de bractées imbriquées d'où
sortent des fleurs jaunes orangées à
deux lèvres.

Floraison : Toute l'année.

Utilisation : Très rustique, elle se
contente de n'importe quel sol et
garnit rapidement murs et pergolas.

Multiplication : Bouturage.

G. HYSTRIX

*Une pièce d'eau est morne et triste
si sa surface et ses bords ne sont
pas animés de fleurs aux couleurs
chatoyantes qui s'y reflètent ou de
longues herbes qui bruissent au
moindre souffle d'air, abritant une
importante faune aquatique.*

Les Plantes Aquatiques

C. ALTERNIFOLIUS

N. HYBRIDE

Nom scientifique :
NYMPHAEA CŒRULEA

Nom vernaculaire :
NENUPHAR BLEU

Famille :
NYMPHAEACEES

Origine :
Inde

Description : Les Nénuphars tropicaux ont en général des fleurs de couleur vive aux pétales effilés et aux longues tiges florales émergeant de l'eau. Parmi eux citons NYMPHAEA COERULEA, à fleurs bleues et NYMPHAEA RUBRA à fleurs et feuillage rouge. Il en existe de nombreuses variétés. On trouve aussi parfois cultivées sous les tropiques des variétés de NYMPHAEA ALBA, originaires d'Europe.

Floraison : Janvier à décembre.

Utilisation : Ils demandent une eau calme à 20 - 25° C et un substrat riche.

Multiplication :
Semis.

N. HYBRIDE

Nom scientifique :
CYPERUS ALTERNIFOLIUS

Nom vernaculaire :
PAPYRUS

Famille :
CYPERACEES

Description : Cette grande plante herbacée aquatique porte de grandes feuilles fines en ombelles, les inflorescences, petites, sont réunies en épis terminaux CYPERUS PAPYRUS a des feuilles plus larges.

Utilisation : Demandant un sol riche et humide, elle pousse en plein soleil ou légèrement à l'ombre. On l'utilise en bordure de bassins et de cours d'eau. La moelle de la tige servait dans l'ancienne Egypte à fabriquer les feuilles de papyrus.

Multiplication :
Bouturage.

N. COERULEA

Nom scientifique :
EICHHORNIA CRASSIPES
Nom vernaculaire :
JACINTHE D'EAU

Famille :
PONTEDERIACEES

Origine :
Amérique tropicale.

Description : Cette jolie plante aquatique a d'épaisses feuilles cordiformes vernissées dont le pétiole renflé sert de flotteur. Les fleurs bleues à
oeil jaune, regroupées en épi sont
nombreuses.

Floraison : Mars à Juillet.

Utilisation : Se multipliant très rapidement elle garnit les pièces d'eau où
elle peut même devenir envahissante.
Toute la plante est utilisée comme
fourrage pour le bétail en Asie du Sud-
Est.

Multiplication :
Séparation des rejets.

E. CRASSIPES

E. CRASSIPES

Les Orchidées

Les Orchidées constituent un monde à part. Leurs fleurs ont des formes surprenantes, si surprenantes que même les insectes s'y trompent les prenant pour un des leurs et déclenchant un mécanisme complexe assurant la fécondation.

Leur mode de vie est terrestre pour certaines mais la plupart sont, soit épilithes (croissant sur des roches), soit épiphytes (croissant sur d'autres végétaux qu'elles utilisent comme support) puisant leur nourriture dans l'air humide par des racines hautement spécialisées. Le support de culture et l'atmosphère devront donc être pour la plupart d'entre elles, toujours humide mais sans excès.

Elles se multiplient naturellement par semis, mais les graines, pour germer, doivent tomber au pied de la plante-mère ou un champignon microscopique présent dans ses racines favorise la germination. La découverte tardive de ce phénomène et la difficulté de les multiplier par les autres moyens classiques (bouturage, marcottage, division de touffe) en ont fait les plantes les plus chères au monde. Il fallut attendre 1956 et la découverte du bouturage de méristème (extrémité microscopique du bourgeon) pour les multiplier en grande quantité et en faire une plante à la portée de tous.

C'est une famille très nombreuse (20000 espèces réparties sur les cinq continents) dont nous vous présentons quelques spécimens parmi les plus populaires sous les tropiques.

Nom scientifique :
ARACHNIS FLOS-AERIS

Nom vernaculaire :
ORCHIDEE ARAIGNEE, SCORPION

Famille :
ORCHIDACEES

Origine :
Asie du Sud-Est.

Description : Cette orchidée terrestre ou épiphyte est remarquable par sa longue inflorescence (jusqu'à 1 m) aux fleurs nombreuses, épaisses, ocres rayées de pourpre, à odeur musquée.

Floraison : Janvier à décembre

Utilisation : Elle demande chaleur et humidité. Une exposition semi-ombragée est préférable bien qu'elle supporte le soleil après accoutumance progressive. Elle se comporte parfaitement sur de vieux troncs ou sur des supports en racine de fougère. Les fleurs peu fragiles, sont idéales pour les bouquets.

Multiplication :
Séparation des rejets.

A. FLOS-AERIS

Nom scientifique :
ONCIDIUM PAPILLO

Nom vernaculaire :
ORCHIDEE PAPILLON

Famille :
ORCHIDACEES

Origine :
Amérique tropicale

Description : Ces orchidées épiphytes comprennent quelque 750 espèces portant de petites fleurs gracieuses, au labelle très développé. Leur couleur varie en général du jaune au brun. Certaines comme ONCIDIUM KRAMERIANUM ou ONCIDIUM PAPILLO ont des fleurs plus grandes et peu nombreuses. D'autres comme ONCIDIUM MACRANTHUM portent des grappes de nombreuses petites fleurs sur de longs pédoncules flexibles, ce qui leur a valu le nom de « pluie d'or ».

Floraison :
Janvier à décembre.

Utilisation : Ce sont des plantes à la floraison généreuse qui demandent beaucoup de lumière et un substrat léger, aéré, maintenu constamment humide.

Multiplication :
Division de touffe.

O. SPLENDIDUM

O. KRAMERIANUM

E. CILIARE

E. IBAGUENSE

Nom scientifique :
EPIDENDRUM

Famille :
ORCHIDACEES

Origine :
Amérique tropicale.

Description : Comprenant quelque 700 espèces les Epidendrums ont un aspect très variable. Ces grandes fleurs jaune verdâtre d'Epidendrum ciliare sont réunies par 5 ou 6 . Leur labelle blanc profondément découpé est du plus bel effet. EPIDENDRUM IBAGUENSE (EPIDENDRUM RADICANS) très vigoureuse porte de nombreuses petites fleurs rouges et jaunes avec un labelle délicatement frangé. Elle fleurit continuellement.

Utilisation : Les Epidendrums se plaisent aussi bien en pots bien drainés que cultivés sur un support naturel semi-ombragé. Ce sont des plantes de serre tempérée. EPIDENDRUM IBAGUENSE, rustique, supporte le plein soleil et peut être cultivée jusqu'en région méditerranéenne à l'extérieur.

Multiplication :
Division de touffe.

Nom scientifique :
DENDROBIUM

Famille :
ORCHIDACEES

Origine :
Asie du Sud-Est et Océanie.

Description : Le genre DENDROBIUM, très vaste comprend 1600 espèces et de nombreux hybrides. Ce sont des plantes épiphytes ayant une période de végétation active pendant laquelle elles fleurissent, suivie d'une période de repos végétatif. Parmi les plus cultivés on trouve DENDROBIUM PHALAENOPSIS et ses hybrides dont les fleurs ressemblent à celles du Phalaenopsis mais en plus petit. La longue hampe florale porte jusqu'à 15 fleurs qui durent longtemps DENDROBIUM NOBILE, blanc, ourlé de pourpre est une plante vigoureuse moins exigeante en chaleur.

Utilisation : Les Dendrobiums demandent avant tout de la lumière, de la chaleur, ainsi qu'une bonne ventilation, et une humidité constante pendant la période de végétation. Gourmands, ils doivent recevoir une bonne fertilisation, notamment azotée. Pendant leur repos végétatif ils doivent être placés dans un endroit sec et plus frais. On les cultive en paniers suspendus sur support inerte ou sur de vieux arbres. Ce sont des plantes de serre chaude ou tempérée.

Multiplication :
Séparation des rejets.

DENDROBIUM

D. THAILAND BEAUTY

D. MME CHULI

D. YOUPPADEEWAN

P. LONGIFOLIUM

Nom scientifique :

PHRAGMIPEDIUM LONGIFOLIUM

Nom vernaculaire :
SABOT DE VENUS

Famille :
ORCHIDACEES

Origine :
Amérique tropicale.

Description : Ces orchidées terrestres ou épilithes sont remarquables par la forme de leur fleur : le labelle à la forme d'une babouche ; il est surmonté par un grand sépale étalé : le pavillon ; les pétales latéraux sont très effilés et retombants. Les hampes florales portent plusieurs fleurs s'épanouissant successivement au milieu d'un feuillage élégant. Très proches, les PAPHIOPEDILUM originaires d'Asie du Sud Est portent de grandes fleurs solitaires ou regroupées par 2 ou 3. Il en existe de nombreux hybrides de forme et de couleur variées.

Utilisation : Très florifères elles ne supportent pas les rayons du soleil. Elles demandent de la chaleur et une constante humidité du sol et de l'air n'ayant pas d'organe de réserve (pseudobulbe). Elles réclament un substrat léger, aéré et sont peu gourmandes en engrais.

Multiplication :
Division de touffe.

Nom scientifique :

RENANTHERA COCCINEA

Nom vernaculaire :
ORCHID SPRAY

Famille :
ORCHIDACEES

Origine :
Asie du Sud Est.

Description : Ces orchidées épiphytes comprennent 12 espèces à tige sarmenteuse avec de longues hampes florales latérales couvertes de petites fleurs rouges ou jaunes. Croisées avec les genres ARACHNIS et VANDA, elles ont donné de nombreux hybrides.

Utilisation : Elles demandent une forte hygrométrie, de la lumière et beaucoup de chaleur. On les cultive en paniers suspendus ou sur les arbres où elles grimpent rapidement.

Multiplication :
Bouturage de tige.

R. COCCINEA

Nom scientifique :
SPATHOGLOTTIS PLICATA

Famille :
ORCHIDACEES

Origine :
Malaisie

Description : Cette petite orchidée terrestre a de longues feuilles nervurées vert foncé et des hampes florales de 50 cm à 1 m, portant une succession de petites fleurs rose pâle à pourpre.

Floraison :
Janvier à juin.

Utilisation : Elle supporte le plein soleil et demande chaleur et humidité. On l'utilise en bordure ou en massif.

Multiplication :
Semis ou division de touffe.

P. SONNENTAU

S. PLICATA

Nom scientifique :
PHALAENOPSIS SONNENTAU

Famille :
ORCHIDACEES

Origine :
Asie du Sud Est.

Description : S'il fallait décerner la palme de l'abondance florale les Phalaenopsis la remporteraient certainement. En effet, ces orchidées épiphytes peuvent fleurir toute l'année, un épi floral en remplaçant un autre sans discontinuer. Ces épis portent de nombreuses fleurs blanches ou mauves à petit labelle finement découpé. Les nombreux hybrides ont élargi la palette des coloris dans les roses, jaunes et striés.

Floraison : Toute l'année

Utilisation : Croissant solidement sur leur support ou dans des paniers suspendus, ils demandent une lumière tamisée, une forte humidité atmosphérique et une température élevée. Ce sont des plantes idéales comme fleur à couper. Il faut veiller en taillant la hampe florale à le faire juste en dessous du premier fleuron, la plante formant rapidement une nouvelle hampe à partir du bourgeon situé plus bas.

Multiplication :
Séparation des rejets ou « keikis ». ▶

P. JOYAU

P. ANTARTIC

P. COMEDIE

C. ANDRESS BATTLE X TAHITI RONDO

C. CYDALISE

Nom scientifique :
CATTLEYA

Famille :
ORCHIDACEES

Origine :
Amérique tropicale.

Description : Reine des orchidées, symbole de l'amour, le Cattleya est une des orchidées les plus admirées. Plante épiphyte, elle a donné par croisement avec les genres voisins LAELIA, BRASSAVOLA et SOPHRONOTIS, des miliers d'hybrides. Les grandes fleurs peu nombreuses, mauves jaunes ou blanches sont caractérisées par un labelle proéminent délicatement festonné de couleur plus vive.

Utilisation : Plante de lisière forestière, elle demande une lumière tamisée, une constante humidité, une bonne aération et des températures de 15 à 25° C. On le cultive en paniers suspendus remplis d'un substrat inerte (charbon de bois, gravier...)

Multiplication :
Division des touffes.

Nom scientifique :
VANILLA FRAGRANS

Nom vernaculaire :
VANILLE

Famille :
ORCHIDACEES

Origine :
Mexique d'où elle a été importée au XVIIIème siècle.

Description : Cette orchidée épiphyte grimpante est très connue, non par sa fleur vert pâle ou jaune, épaisse, mais par ses fruits, gousses au parfum musqué utilisées en patisserie. Proche de la vanille, le vanillon (VANILLA POMPONA), plante vigoureuse a de larges gousses moins parfumées.

Utilisation : On la cultive dans de nombreux pays tropicaux (notamment à Madagascar et à la Réunion) pour la production des gousses de vanille. Mais sa fécondation n'étant effectuée naturellement que par un insecte ne vivant qu'au Mexique, il fallut attendre 1836 pour découvrir la technique de fécondation artificielle : à l'aide d'un canif, le matin, à l'ouverture de la fleur, on met en contact le pollen contenu dans les pollinies et le stigmate. Il faudra attendre 7 à 8 mois que la gousse mûrisse. Elle sera alors ébouillantée, séchée au soleil et peignée afin de lui faire ressortir tout son arôme. La vanille demande un climat chaud, humide et un solide support.

Multiplication :
Boutures munies de racines aériennes.

V. POMPONA

Nom scientifique :
VANDA

Famille :
ORCHIDACEES

Origine :
Asie du Sud Est.

Description : Plantes épiphytes de grande taille (jusqu'à 2 m), les Vandas font l'orgueil des jardins de Thaïlande et de Singapour. A feuilles plates (VANDA COERULEA) ou cylindrique (VANDA TERES), elles sont remarquables, par leurs inflorescences portant jusqu'à 50 fleurs plus ou moins régulières. Les hybrides nombreux ont des fleurs de grande taille et de couleur variée. Hybrides de VANDA et d'ASCOCENTRUM, les ASCOCENDA sont moins encombrants et aussi florifères.

Floraison :
Plusieurs fois par an.

Utilisation : Elles se plaisent sur des branches d'arbres ou dans des paniers suspendus puisant leur nourriture grâce à leurs nombreuses racines aériennes qu'il ne faut pas surtout pas supprimer. Elles demandent une exposition lumineuse, voire le plein soleil pour les Vandas à feuilles cylindriques, beaucoup de chaleur, une bonne aération et une constante humidité, leur croissance étant continue.

Multiplication :
Séparation des rejets latéraux « keikis » ou bouturage d'extrémité de tige.

V. TESSELATA

V. ROTCHILDIANA

A. BLUE MAX X V. TANCHAY

V. TANCHAY

ASCOCENDA SP

ARANDA BLUE MAX

VANDA TERES

Nom scientifique :
**ARUNDINA
GRAMINIFOLIA** ▶

Nom vernaculaire :
ORCHIDEE BAMBOU

Famille :
ORCHIDACEES

Origine :
Asie du Sud-Est ou Polynésie.

Description : Cette orchidée terrestre
a des tiges érigées aux feuilles en-
gainantes. Les fleurs, au labelle violet
pourpre ressemblent a de petites
fleurs de Cattleya. Elles s'épanouissent successivement le long de la tige.

Floraison : Janvier à décembre.

Utilisation : Très répandue dans les
jardins, elle y forme de fortes touffes
dont la base gagne a être cachée par
une plante basse ou tapissante. Elle
demande de la lumière, une bonne
humidité et un sol riche.

Multiplication :
Division de touffe.

A. GRAMINIFOLIA

Bibliographie

Nelson Caribbean		1976	**ADAMS C.D.**	Caribbean Flora
	Paris	1984	**AMI DES JARDINS**	Le Monde Fascinant des Orchidées
	Pointe à Pitre	1984	**A.P.A.G.**	Lexique sur la Flore Caraïbe
Delachaux & Niestlé	Neuchatel	1966	**BERNARDI L. & ROBERT P.A.**	Fleurs Tropicales
La Maison Rustique	Paris	1964	**BON JARDINIER**	Encyclopédie Horticole
Editorial Rueda	Madrid	1983	**BRAMWELL D. & Z.**	Jardines de Canarias
Les Editions du Pacifique	Papeete	1983	**CADET T.**	Fleurs et Plantes de la Réunion et de l'île Maurice
Francisco Ribeiron	Funchal	1982	**DA COSTA A. & DE O. FRANQUINHOL**	Plantas e Flores Madeira
Floraisse	Paris	1977	**DE NOAILLES C. & LANCASTER R.**	Plantes de Jardins Méditerranéens
	Fort de France	1980	**DESORMEAUX**	Antilles d'Hier et d'Aujourd'hui, la Flore
	Fort de France	1896	**DUSS A.**	Flore Phanérogamique des Antilles Françaises
Les Editions du Pacifique	Papeete	1976	**FOURNET J.**	Fleurs et Plantes des Antilles
I.N.R.A.	Paris	1978	**FOURNET J.**	Flore Illustrée des Phanérogames de Guadeloupe et de Martinique
Dargaud	Paris	1983	**FRONTY L.**	Les Begonias
Roehrs Company	E. Rutherford N.J.	1981	**GRAF A.B.**	Exotica 3
Roehrs Company	E. Rutherford N.J.	1981	**GRAF A.B.**	Tropica
Gründ	Paris	1979	**HAAGER J.**	Plantes de la Maison
Doubleday	New York		**HANNAU W. & GARRARD J.**	Tropical Flowers
	Hawaï	1965	**HARGREAVES D. & B.**	Tropical Blossoms of the Caribbean
	Hawaï	1965	**HARGREAVES D. & B.**	Tropical Trees Found in the Caribbean
	Hawaï	1970	**HARGREAVES D. & B.**	African Blossoms
	Hawaï	1970	**HARGREAVES D. & B.**	Tropical Blossoms of the Pacific
	Hawaï	1970	**HARGREAVES D. & B.**	Tropical Trees of the Pacific
Les Editions du Pacifique	Papeete	1983	**HERMANN B. & CELMAY J.C.**	Fleurs et Plantes de Tahiti
Soc. de Ciencias Naturales la Salle	Caracas	1978	**HOYOS J.**	Flora Tropical Ornamental
Soc. de Ciencias Naturales la Salle	Caracas	1982	**HOYOS J.**	Plantas Ornamentales de Venezuela
Salamander Book	London	1980	**WILLIAMS B. & KRAMER J.**	Orchids for Everyone
La Maison Rustique	Paris	1981	**LECOUFLE M.**	Orchidées Exotiques
MacMillan	London	1978	**LENNOX G.W. & SEDDON S.A.**	Flowers of the Caribbean
MacMillan	London	1978	**LENNOX G.W. & SEDDON S.A.**	Trees of the Caribbean
US Department of Agriculture	Washington D.C.	1964	**LITTLE I.E. & WADSWORTH F.M.**	Common Trees of Puerto-Rico & the Virgin Islands
BLV Verlugsgesellshaft	München	1980	**LOTSCHERT W. & BEESE G.**	Planzen der Tropen
The American Women's Literary Club of Lima	Lima		**MAC HAMISH L.**	Gardening in Lima, Perú
Minerva	Geneve	1977	**MARINUZZI A.S.**	Le Monde Merveilleux des Fleurs Exotiques
University of California Press	Berkeley	1982	**MATHIAS M.E.**	Flowering Plants in the Landscape
Hearthside Press	New York	1962	**HENNINGER E.A.**	Flowering Trees of the World
Hearthside Press	New York	1970	**HENNINGER E.A.**	Flowering Vines of the World
Hearthside Press	New York	1964	**HENNINGER E.A.**	Seaside Plants of the World
Dargaud	Paris	1983	**MIOULANE P.**	Les Orchidées
	Miami	1969	**MORTON J.F.**	Poisonous Plants
Hachette	Paris	1971	**MORTON J.F.**	Plantes Exotiques
DOM	Paris	1892	**NICHOLSON G.**	Dictionnaire Pratique d'Horticulture et de Jardinage
Reinhart V. Company INC	New York	1951	**PERTCHIK B & H**	Flowering Trees of the Caribbean
Les Editions du Pacifique	Papeete	1983	**SCHMIDT M.**	Fleurs et Plantes de Nouvelle-Calédonie
Librairie Jules Tallandier	Paris	1971	**TALLANDIER J.**	Tout votre Jardin - La Flore de A à Z
Criterion Book	New York	1958	**WOMAN'S CLUB OF HAVANA**	Flowering Plants from Cuban Gardens

Index 1

nom latin avec correspondance du nom anglais et espagnol

Index 2 — nom français avec correspondance du nom latin

Photographies : André Exbrayat
Textes : Gildas Le Corre
Design : Jeremy Hobday

Photogravure et Impression
réalisées par
Imprimerie T.T.G.
Z.I. du Haut Careï - av. St-Roman
06500 MENTON
Tél. : 04.93.35.43.40

Dépôt légal : Juin 1997
N° 01.06.97